En Mouvement

M000095841

En Mouvement

Second Edition

A French Cultural Reader

Marie Galanti   Journal Français d'Amérique

D. C. HEATH AND COMPANY   Lexington, Massachusetts / Toronto

TEXT CREDITS

p. 43, «Le Petit Ecolier», courtesy of Mother's Cake & Cookie Co., Oakland, California; p. 232, «Tu as gardé longtemps», from *Chants pour Signore,* by Léopold Sédar Senghor. Reprinted by permission of Editions du Seuil, Paris.

PHOTO CREDITS

p. iii, Peter Menzel; p. 3, Mark Antman/The Image Works; p. 7, Peter Menzel; p. 11, Alan Carey/The Image Works; p. 15, Stuart Cohen; p. 18, French Government Tourist Office; p. 21, Beryl Goldberg; p. 29, Andrew Brilliant & Carol Palmer; p. 31, Mark Antman/The Image Works; p. 37, Owen Franken/Stock, Boston; p. 41, Peter Menzel; p. 44, Ministère des PTT-SIC/Minitel; p. 46, Alain Dejean/Sygma; p. 51, Peter Menzel; p. 52, City of Bayeux; p. 53, City of Bayeux; p. 55, Ciccione/Rapho/Photo Researchers, Inc.; p. 57, Fogg Art Museum. Collection of Maurice Wertherm; p. 60, Wilhelm Braga/Photo Researchers, Inc.; p. 65, Owen Franken; p. 67, Giraudon; p. 71, Peter Menzel; p. 73, Owen Franken; p. 77, Mark Antman/The Image Works; p. 78, Stuart Cohen; p. 79, Food and Wines From France; p. 83, Tourisme Propriété, Paris; p. 86, Lee Snider/Photo Images; p. 87, Horizons de France, Paris; p. 91, Peter Menzel; p. 92, Owen Franken/Sygma; p. 95, Topham/The Image Works; p. 98, French Government Tourist Office; p. 105, Harold Chapman/The Image Works; p. 107, Bonnie Kamin; p. 108, Rapho/Photo Researchers, Inc.; p. 109, Charles Philippe/Rapho/Photo Researchers, Inc.; p. 117, Stuart Cohen; p. 119, Peter Menzel; p. 121, Topham/The Image Works; p. 122, Peter Menzel; p. 123, Photo A.F.P.; p. 129, Susan McCartney/Photo Researchers, Inc.; p. 132, Cliché des Musées Nationaux France; p. 134, Photo A.F.P.; p. 137, Larrier/Rapho/Photo Researchers, Inc.; p. 143, Martin Rogers/Stock Boston; p. 146, Pierre Berger/Photo Researchers, Inc.; p. 149, Belgian National Tourist Office; p. 150, Belgian National Tourist Office; p. 151, Musées Royaux des Beaux-Arts and The Belgian National Tourist Office; p. 157, Henri Cartier-Bresson/Magnum Photos; p. 161, Owen Franken/Stock, Boston; p. 163, Swiss National Tourist Office; p. 166, Peter Menzel; p. 168, Fritz Henle/Photo Researchers, Inc.; p. 175, CIDEM; p. 185, Mark Antman/The Image Works; p. 189, G. Zimbel/Monkmeyer Press Photo Service; p. 193, Hydro-Québec; p. 195, Helena Kolda/Photo Researchers, Inc.; p. 196, Mark Antman/The Image Works; p. 203, Beryl Goldberg; p. 205, Beryl Goldberg; p. 207, Owen Franken/Stock, Boston; p. 208, Beryl Goldberg; p. 210, Alan Guttmacher/Photo Researchers, Inc.; p. 213, Carl Frank/Photo Researchers, Inc.; p. 214, Mark Antman/The Image Works; p. 215, Carl Frank/Photo Researchers, Inc.; p. 217, Richard Kalvar/Magnum Photos; p. 220, Mark Antman/The Image Works; p. 225, Marc Riboud/Magnum Photos; p. 227, Owen Franken; p. 229, Jacques Pavlovsky/Sygma; p. 232 (top), Beryl Goldberg; p. 232 (bottom), Owen Franken; p. 237, Ian Berry/Magnum Photos; p. 238, Bernard Pierre Wolff/Photo Researchers, Inc.; p. 241, Bernard Pierre Wolff/Photo Researchers, Inc.; p. 243, Beryl Goldberg; p. 245, Ruth and Hassoldt Davis/Photo Researchers, Inc.

Cover photo credits: (left) Marc & Evelyn Bernheim/Woodfin Camp & Associates, (center) Owen Franken, (right) Pierre Terrien/Valen Photos.

Cover design: Judy A. Poe.

International Standard Book Number: 0-669-11936-9.

Library of Congress Catalog Card Number: 87-81231.

En Mouvement, Second Edition, has maintained the same objective as its predecessor: to introduce American students to different regions in France as well as to regions outside of France where French is spoken—Switzerland, Belgium, Quebec, and Africa. At the same time, the text provides insight into the culture and traditions of the countries and regions it analyzes so that the students may relate to and interact with the people of the French-speaking world. Contact between French-speaking peoples and Americans has increased rapidly in the 1980s. In a shrinking world, a multicultural outlook is as indispensable for communication as a knowledge of the spoken and written language. Countries and their people cannot be explained or understood without consideration of the history and traditions that have shaped them. Indeed, insights into their background—the great figures of the past, the local peculiarities of a region—enable Americans to achieve a better communication with their neighbors and business partners in the international *village* that the world has become.

In this new edition of *En Mouvement,* every chapter has been updated to reflect the current French-speaking world. France, itself, is such an exciting country because it has chosen not to be a museum. Preserving the splendors of its glorious past, it enthusiastically embraces the present and challenges the future. France is anything but static. During the past few years, it has lived through political swings of the pendulum and has had to define and redefine some of its basic institutions. It has also been a target of world terrorism. Belgium and Switzerland, like France, have had to come to grips with the technological age and have transformed some of their economic and social structures accordingly.

In recent times Quebec has also experienced many changes. The tide of nationalism has abated as the Quebecois have gradually chartered the economic course of their province. Americans who have been perplexed by the political events in *La Belle Province* during the past twenty years need to focus on its early history. An additional chapter has thus been created to provide more background on the historical forces that have shaped Quebec from its beginnings as *La Nouvelle-France.*

The French-speaking African countries of Sénégal and Côte-d'Ivoire are featured again in *En Mouvement.* In addition, a new chapter on Africa itself explores the black continent's turbulent past before taking a look at the promise it holds for the future. The Arabic countries of North Africa must also be considered because of their historic ties to France. A chapter on Tunesia explains this French influence and discusses the country's social and political realities.

This new edition has been enriched by the comments of many teachers who used *En Mouvement*. Comprehension and vocabulary exercises have been revised and developed. At the request of many users, exercises now combine the best of traditional and creative approaches for testing comprehension. Word association exercises are emphasized. The Composition/Discussion sections provide students with increased opportunities to communicate their personal reactions to the selections, both orally and in writing. Special care has been taken to include written exercises that are practical and relevant to daily life.

Comprehension of every word is not the aim of this text, nor is it desirable. Even in our native language, there are many occasions when we read with total comprehension but without knowing the definitions of every word. In *En Mouvement*, only those words that seem indispensable to the basic comprehension of the text are defined in marginal glosses. A French-English vocabulary also appears at the end of the book.

En Mouvement, Second Edition, does not aspire to be a complete guide to history and civilization, nor to analyze every issue facing the French world. It does, however, aim to be accurate. By combining the approach of the issue-oriented reader with that of the civilization textbook, it hopes to spark in students of French—in adult education courses, in college or high school classes—a long-lasting interest in matters affecting French-speaking peoples all over the world. If it accomplishes this goal, *En Mouvement* will have been successful. It will have made a small contribution towards shaping the global outlook that every country, the United States included, must now have to deal effectively and happily with neighbors, business partners—and even foes.

Many have contributed to the revision of *En Mouvement*. Special thanks are in order to Professor Delphine Perret, of San Francisco State University, who has reviewed the entire manuscript. The delicate task of proofreading was shared by my associate at the *Journal Français d'Amérique*, Dr. Anne Prah-Perochon, and by my mother, Camille Létourneau. Their tactful corrections and advice have been appreciated at all times. The author also wishes to thank the editorial staff of D. C. Heath and Company for their valuable suggestions, which have enhanced the quality of the manuscript.

Table des matières

La France

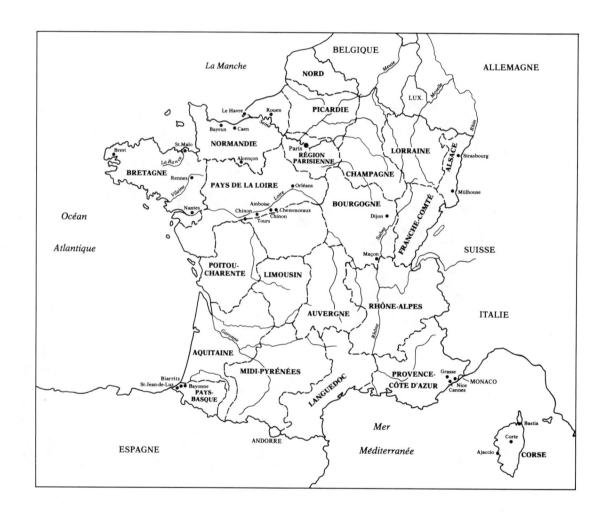

La France actuelle | 1

Pour l'écrivain Bernard Shaw, la France était le « plus merveilleux des pays ». Paradis des gastronomes, centre mondial d'art et de culture, reliquaire d'un passé glorieux, la France n'en est pas moins un pays moderne, industrialisé, dont le cœur bat au rythme du 21e siècle. On a beaucoup parlé du Concorde, le premier avion supersonique. Pourtant cette réussite technique n'est pas un cas isolé.

La France, en consortium avec ses partenaires européens, est constructeur de l'Airbus, avion à réaction° que l'on trouve dans la flotte de la majorité des grandes lignes aériennes. La France est le pays du T.G.V. (Train à grande vitesse) qui relie les villes françaises à une vitesse qui s'approche des trois cents kilomètres à l'heure.

° jet

L'aérospatiale est une industrie de pointe pour la France, qui se situe au même rang que les grandes puissances° dans ce domaine. Depuis environ dix ans, c'est la fusée Ariane[1] qui prend le plus d'importance. Avec une vingtaine de lancements depuis 1979, Ariane est devenue un leader incontestable du monde de l'espace.

° powers

L'électronique est l'industrie d'aujourd'hui et celle de demain. Les Français en sont convaincus. Le gouvernement français a mis sur pied

[1] The Ariane is an unmanned rocket used for commercial launchings of satellites into space. It was developed by a consortium of European countries which has its headquarters in France.

Le T.G.V. (Train à Grande Vitesse) traverse la France à des vélocités qui s'approchent des trois cents kilomètres à l'heure.

un ambitieux programme de recherches techniques dont le but est de faire entrer l'électronique dans toutes les phases de la vie des Français.

Faisons connaissance avec la France actuelle, mais sans oublier son histoire, ses sites artistiques et touristiques et—pourquoi pas ?—sa gastronomie?

Quelle sorte de pays?

La France est un petit pays si on le compare aux Etats-Unis (quatorze fois moins grand). Pourtant la France est le plus grand pays de l'Europe de l'Ouest.

Un pays de vignobles et de champs de blé,° de montagnes enneigées, de promenades sous les palmiers le long des côtes méditerranéennes. Mais aussi un pays riche en minerai et autres ressources naturelles.   wheat

Mais la France n'a pas de pétrole. Pour cette raison, elle a développé son énergie nucléaire plus que n'importe quel autre pays au monde. Aujourd'hui, des centrales nucléaires pourvoient à 65 pour cent des besoins énergétiques de la France.

Tous les gouvernements français ont suivi essentiellement la même politique nucléaire depuis 1970. La majorité des Français disent être d'accord avec cette politique. Contrairement à ce qui se passe en Grande-Bretagne et en Allemagne, il y a en France peu d'opposition au programme nucléaire. Même après la catastrophe de Tchernobyl[2] qui, en 1986, a fait de nombreux morts et blessés en Union Soviétique, des sondages d'opinion réalisés en France ont démontré que le public favorise l'expansion du programme nucléaire sur le territoire français.

La France et l'Europe

Les pays européens se définissent de plus en plus comme une famille de nations. Chaque pays a sa personnalité, ses besoins, ses aspirations. Il peut y avoir des conflits, des différences d'opinion, mais il y a un esprit de famille, un ensemble de valeurs communes.

La France prend très au sérieux son rôle au sein de la Communauté européenne. Le premier président du Parlement européen, Simone Veil, était française.

Dans le Marché commun, en plus d'avoir une grande importance agricole, la France se situe à la deuxième place pour la production des automobiles, à la troisième pour l'aluminium et à la quatrième pour l'acier.°   steel

---

[2] A serious accident involving the meltdown of a nuclear reactor took place in the town of Chernobyl in the Soviet Union in 1986.

Puissance industrielle et joie de vivre

Aimez-vous la montagne? La France en offre une variété incroyable: de la majesté des Alpes au pittoresque des Pyrénées; des anciens volcans du Massif central ou du Jura aux magnifiques sommets des Vosges. Tout pour les skieurs, les alpinistes, les promeneurs.

Préférez-vous la mer? Vous trouverez ici la mer Méditerranée et l'océan Atlantique. Des centaines de kilomètres de plages sablonneuses,° d'air salé,° de ciel bleu et de soleil...   sandy / salty

Cherchez-vous des rivières? La Loire, le fleuve le plus long de la France, coule sur mille kilomètres. La beauté de ses berges° a inspiré les   banks
poètes et a poussé les rois et les princes à y construire des châteaux qui peuvent servir de cadre aux plus fantastiques des contes de fées.° Et puis,   fairy tales
il y a le Rhône, la Garonne et cet autre grand fleuve, le plus romantique et le plus connu, la Seine, qui traverse Paris.

Un beau pays, un pays puissant: mais plus que sa géographie, son climat, son histoire, ce qui fait la force de la France, ce qui lui donne sa personnalité unique au monde, ce sont ses habitants.

Qui sont les Français?

Il n'y a pas de réponse facile à cette question, car chacun des 55.000.000 de Français a sa personnalité bien à lui. Parmi eux on peut compter une population active° de 23.000.000, composée de 14.000.000 d'hommes   working population
et de 9.000.000 de femmes.

Depuis quelques années, le phénomène le plus notable en ce qui concerne la composition de cette population active est l'augmentation de la proportion de femmes. En 1970, les femmes ne constituaient que 35,6 pour cent de la population active; en 1975, elles en représentaient 36,7 pour cent et maintenant elles en représentent près de 40 pour cent.

De nombreuses mesures ont été prises au cours des dix dernières années pour améliorer la condition des femmes. Il semble, cependant, que certains problèmes existent toujours. C'est du moins l'opinion des deux tiers° des Françaises. Celles-ci croient qu'il faudrait réduire l'écart°   gap entre les salaires masculins et féminins. Elles voudraient également augmenter le nombre de garderies° et développer le travail à temps partiel.   day-care centers

Comme les Etats-Unis, la France assiste à un vieillissement de sa population. En 1968, les jeunes de moins de vingt ans représentaient 34 pour cent de la population. En l'an 2000, ils en représenteront seulement 26 pour cent. Parallèlement, le nombre des plus de soixante ans aura augmenté sensiblement.

Les femmes telles que cette avocate jouent un rôle chaque fois plus important dans la vie active de la France moderne.

Un nouveau phénomène se dessine également en France. Il s'agit de l'augmentation du nombre de personnes seules. Les jeunes se marient plus tard, le nombre de divorces augmente et les jeunes vivent moins longtemps chez leurs parents.

Que font les Français?

Comme tous les pays développés, la France voit diminuer le nombre de ses habitants qui cultivent la terre. Un Français sur douze est aujourd'hui agriculteur.

Les produits les plus importants qu'ils fournissent aux onze Français sur douze qui sont ouvriers, employés, fonctionnaires,° artisans, commerçants ou professionnels (médecins, avocats, architectes, etc.) sont les céréales, les fruits et légumes, le vin, la viande, les produits laitiers.   government employees

Depuis une dizaine d'années, les industries lourdes du pays: aciéries, mines, chantiers navals,° construction d'automobiles, sont en recul. Le secteur tertiaire, c'est-à-dire tout ce qui touche les services, se développe.   shipyards

Où habitent-ils?

Près de dix millions de Français habitent l'agglomération parisienne et un pourcentage de plus en plus élevé habite les grandes villes comme Marseille, Lyon, Toulouse, Nice, Bordeaux, Strasbourg, Lille et Nantes.

Leur tempérament

Individualiste, entêté, frivole, instable, révolutionnaire: voilà seulement quelques-uns des adjectifs que l'on utilise pour caractériser les Français. Dans l'ensemble, ce sont des clichés sans trop de valeur.

Le Français moyen est tout aussi difficile à définir que l'Américain typique ou l'Italien ou l'Allemand typiques, mais on peut tout de même dégager certains traits. Le Français typique s'intéresse beaucoup plus à la politique que ne le fait l'Américain et adore la discussion. Il faut dire que les Français peuvent choisir leur affiliation politique parmi plus de dix partis différents, allant de l'extrême droite à l'extrême gauche. Chez les jeunes, cependant, on note un certain déclin d'intérêt pour les questions politiques.

La passion des Français pour la discussion ne se limite pas aux questions politiques mais s'applique aussi bien aux sports, au cinéma, à tout ce qui touche la vie quotidienne. Les Français ont une opinion sur tous les sujets y compris la gastronomie, sur laquelle ils se considèrent de grands experts.

Il est vrai que traditionnellement, le Français accordait un plus grand pourcentage de son budget familial et parallèlement une plus grande attention à la nourriture que ne le faisait l'Américain. En même temps, il accordait une proportion plus réduite au logement. Ces habitudes de longue date sont toutefois en train de changer. Une récente enquête officielle démontre que les ménages° français de l'an 2000 se désintéresseront progressivement de l'art culinaire. La part consacrée aux dépenses alimentaires ne représentera plus que 16 pour cent du budget familial, contre plus de 20 pour cent actuellement.

households

Les Français, toujours selon l'étude, mangeront moins de pain et boiront moins de vin. Alors que l'Amérique découvre le plaisir de manger une baguette et de prendre un verre de vin aux repas, les Français seraient-ils en train d'oublier ces plaisirs de la table?

Les Français et les loisirs

Pour la majorité des Français, les vacances sont sacrées et signifient un exode des villes vers les plages et les montagnes. En effet, près de 80 pour cent des Français partent annuellement en vacances.

Les Français bénéficient de vacances annuelles plus longues que les Américains. Ils ont cinq semaines de congés payés par an.

Le mois d'août reste le grand mois des vacances en France. En dépit des efforts faits par le gouvernement pour changer cette coutume, le pays entier travaille au ralenti en août.

Hors des périodes de vacances, la semaine du travailleur français est plus courte que celle de l'Américain. Depuis 1982, la durée légale de la semaine est fixée à trente-neuf heures.

En ce qui concerne les loisirs, la télévision occupe une place de plus en plus importante dans la vie française. D'ici l'an 2000, elle occupera la première place parmi les loisirs des gens.

Les Français n'ont jamais été de grands sportifs, mais depuis quelques années, on assiste à une nouvelle popularité du sport, particulièrement du tennis et du golf.

La France et les Etats-Unis

Un diplomate français a résumé ainsi les rapports entre la France et les Etats-Unis: « La France, dit-il, est le meilleur allié des Etats-Unis. Elle est aussi l'allié le plus difficile. »

Cette définition révèle l'ambivalence profonde qui existe dans les relations entre les deux pays. Elle est le résultat de différences culturelles importantes entre la façon d'agir en France et aux Etats-Unis.

Pour les Français, l'Américain semble certes plus poli que le Français, plus courtois dans ses rapports quotidiens. En revanche, on le trouve trop confiant. Les Français lui reprochent aussi d'être assez superficiel dans ses contacts humains. On dit les Américains très amicaux dès le début, mais souvent cela ne va pas plus loin. Par contre, les Français se voient comme étant plus réservés au départ, mais plus sincères quand ils accordent leur amitié à quelqu'un.

Les Américains, eux, trouvent souvent les Français très agressifs dans leurs rapports avec les gens. Ces derniers ont la réputation d'être arrogants et impertinents. Pour les Américains, les Français sont d'excellents couturiers, parfumeurs, cuisiniers et artistes, mais on les croit peu doués pour les sciences et la technologie.

Le modèle américain

Bien que les rapports entre les deux pays aient, au cours des dernières années, connu des moments difficiles, la France est de plus en plus fascinée par ce qu'elle appelle « le modèle américain. » Les films américains, les blue-jeans, les fast-foods, font partie de la vie française. Mais, de plus en plus, ce que l'on cherche à imiter, c'est la façon d'agir des Américains. On perçoit ceux-ci comme étant directs, énergiques et ambitieux. Il n'est pas rare aujourd'hui de rencontrer un Français qui vous dira: « Moi, je fonctionne à l'américaine. »

L'invasion du franglais

La popularité des Etats-Unis, ainsi que la puissance commerciale de l'anglais dans le monde, ont contribué à créer le « franglais », c'est-à-dire, des mots anglais utilisés dans le langage quotidien des Français. C'est ainsi que depuis quelques années, on cultive son « look », que l'on veut « cool » de préférence, car on ne veut surtout pas avoir l'air « stressé », ce qui risquerait de faire « flipper » les gens avec qui on est en contact.

Dans le monde des affaires, on cherche à « manager » son « business » en faisant appel au meilleur « software » disponible.

La France change. La France bouge. Les fast-foods gagnent en popularité parce qu'ils conviennent bien au style de vie des Français pressés.

Un nouvel esprit d'entreprise

Pendant longtemps, les Français étaient peu intéressés par la création d'entreprises. On préférait la sécurité du travail pour une grande société, souvent appartenant à l'Etat, ou encore le fonctionnariat.° **civil service**

    Un vent nouveau souffle maintenant sur la France. On assiste à la création de plus de 100.000 nouvelles entreprises par an. Des douzaines de revues spécialisées ont été lancées pour servir cette nouvelle clientèle d'entrepreneurs. Pour la première fois depuis de très longues années, les Français rêvent de devenir patrons.

REGION CENTRE

LE CŒUR-DE-FRANCE

Au cœur de France vivent déjà
LES ENTREPRISES DU FUTUR

Conclusions

La France change et évolue, cela est sûr. Certaines transformations nous sembleront être pour le mieux, d'autres non. Quoi qu'il en soit, c'est uniquement par un contact avec les gens et leur culture que l'on pourra évaluer ces changements et définir l'aspect unique de la France. Les stéréotypes ont parfois du vrai, mais ils ne sont qu'un tout petit aperçu d'un pays d'une variété infinie, comme le démontrera un survol° de ses   overview
principales villes et régions.

■ COMPRÉHENSION

1. Indiquez si les commentaires suivants sont *vrais* ou *faux:*
   a. Le T.G.V. fait partie des réussites techniques de la France.
   b. Le développement de l'électronique est une priorité française.
   c. La France a du pétrole mais développe tout de même son pro-
      gramme nucléaire.
   d. Les pays européens ont une politique commune pour tout.
   e. Les Françaises croient que l'égalité des salaires masculins et fémi-
      nins existe en France.
   f. La gastronomie a toujours été et sera toujours une grande préoc-
      cupation des Français.
   g. La majorité des Français prennent leurs vacances en août.
   h. Les Américains trouvent souvent les Français arrogants.
   i. Le « look cool » est à la mode en France.
   j. Les jeunes Français rêvent de créer des entreprises.

2. Dans la publicité *Vous rêvez de la France,* à la page 6:
   a. A qui s'adresse le message de cette publicité? Qui est le « vous »
      à qui on parle?
   b. Quels aspects de la France la publicité met-elle en valeur? De
      quels aspects de la France ne parle-t-elle pas?
   c. Quelle sorte de clients cherche-t-elle à attirer? Comment le
      savez-vous?
   d. Et vous? Est-ce que vous rêvez de la France? Cette publicité vous
      donne-t-elle envie d'y aller?

3. Faites un tableau du Français moyen avec les renseignements que
   vous donne le texte. Où habite-t-il? Avec qui? Quel âge a-t-il?
   Quelle est sa profession? Que fait-il de ses loisirs et de ses vacances?
   Que pense-t-il de l'Amérique?

▄▄▄ QUESTIONS

1. Quelles figures historiques françaises connaissez-vous? Qu'ont-elles de remarquable? Est-ce que ce sont des héros ou des héroïnes?
2. Quelles personnalités françaises de notre époque sont bien connues en Amérique? Pourquoi les connaît-on?
3. A votre avis, quelles sont les différences entre la France et les Etats-Unis?
4. Quelles indications avons-nous que la France imite le « modèle américain »?
5. Les Français acceptent sans protestation le programme nucléaire de leur pays. Que pensent les Américains de l'énergie nucléaire? Qu'en pensez-vous?
6. Quelles lignes aériennes américaines ont des Airbus?
7. Qu'est-ce qui intéresse les Américains: la France moderne ou la France traditionnelle?

▄▄▄ EXERCICES DE LANGUE

1. Les mots suivants contiennent un autre mot qui aide à en définir le sens. Par exemple, le verbe *ralentir* contient le mot *lent* et veut dire *rendre plus lent* ou *aller plus lentement*. Trouvez les mots contenus dans les mots suivants. Quelle définition des mots ci-dessous pouvez-vous maintenant donner?

   a. enneigées   e. énergétique
   b. avantageux   f. skieur
   c. baignée   g. lancement
   d. minerai   h. augmentation

2. Pourquoi a-t-on donné le nom *Airbus* à un avion?
3. Suggérez des adjectifs pour décrire:

   a. les montagnes
   b. les fleuves
   c. les grandes villes

4. On peut dire qu'une montagne *domine*. Quels autres verbes peut-on utiliser pour caractériser une montagne? Quels verbes caractérisent le mouvement d'un fleuve?
5. La publicité du French Government Tourist Office dit que la Côte d'Azur est *baignée* de soleil. Expliquez pourquoi cette expression est très efficace dans une publicité touristique.

■■■ *COMPOSITION / DISCUSSION*

1. Vous venez de rencontrer des Français qui veulent venir travailler aux Etats-Unis. Expliquez-leur ce que les gens de votre ville ou région pensent des Français et quelles seront les difficultés auxquelles ils auront à faire face pour se trouver un travail, un logement et pour se plaire dans votre région.

2. Vous venez de gagner un voyage de deux semaines en France. Ecrivez une lettre à un(e) ami(e) pour:

   a. lui annoncer cette nouvelle et lui indiquer votre réaction.
   b. décrire les aspects de la France que vous voulez découvrir.
   c. expliquer les craintes et appréhensions que vous avez face à ce voyage.

■■■ *PROJET: SONDAGE*

Afin de mieux définir ce que savent les Américains de la France, préparez un sondage en anglais que vous ferez remplir à 3–5 personnes de votre connaissance (parents, amis, collègues). Les questions ci-dessous peuvent servir de modèle, mais vous pouvez en ajouter d'autres.

1. Parmi les éléments ci-dessous, dans l'ordre, indiquez ceux que vous associez avec la France (1 pour celui que vous associez le plus avec la France et 7 pour celui qui est le moins associé).

Voitures	Armements
Parfums	Aérospatiale
Vins	Télécommunications
Culture	

2. Pouvez-vous nommer trois grandes villes françaises autres que Paris?
3. Pouvez-vous nommer trois figures historiques françaises?
4. Pouvez-vous identifier trois choses typiques que les Français mangent ou boivent?
5. Pensez-vous à la France en rapport avec aucun sport? Si oui, lequel?
6. Nommez un livre, un film, une chanson ou une pièce de théâtre d'origine française que vous connaissez.
7. Donnez trois adjectifs qui décrivent la France, à votre avis.
8. Donnez trois adjectifs qui décrivent les Français.

Paris: Le cœur de la France

2

Qui n'a jamais entendu parler de Paris? Paris est incontestablement le mot français le mieux connu dans le monde entier.
Paris, c'est plus que la troisième grande ville du monde, plus
qu'une capitale. Pour les étrangers, Paris, c'est presqu'un
mythe. Pour les Français, Paris, c'est le cœur de la France.

Dix millions de personnes, soit environ un Français sur cinq, habitent la région parisienne. Paris a plus de tout que n'importe quelle ville
de France. Plus de monde, certainement. Plus de voitures aussi. Plus de
bureaux et d'emplois. Les meilleurs musées. Le système de métro le plus
complet. Les plus jolies boutiques, les night-clubs les plus audacieux, la
plus grande université, les plus beaux monuments. Paris a probablement aussi, les plus gros problèmes.

Paris au passé

C'est dans la Seine, la « rue » principale de Paris, que l'on trouve la clé
de son histoire.

Il y a presque deux mille ans, une tribu de pêcheurs, les Parisii,
habitaient les îles de la Seine. Ils ont laissé leur nom à la ville et peut-être
aussi l'emblème de la ville, le bateau.

Jules César et les Romains sont venus plus tard s'établir en conquérants sur les bords de la Seine. Ils ont laissé en France leur langue, des
ruines de leurs constructions et, ce qui est très important, la culture de la
vigne.

Pendant des siècles, Paris a été un gros village confiné dans l'Ile de la
Cité. C'est seulement au 12e et au 13e siècles que la ville s'est développée. Un roi, Philippe Auguste, a fait construire des églises, le palais
du Louvre, des marchés. C'est l'époque de Notre-Dame et de la création
de l'Université.

Notre-Dame: Un chef-d'œuvre d'art gothique

L'art gothique succède à l'art roman dans l'histoire de l'architecture
européenne. L'art roman se caractérise par une grande sobriété. L'art
gothique est tout le contraire. C'est un élan vertical, une ascension
imaginaire vers les cieux. Les murs des églises sont minces, les piliers° — columns
plus fins que ceux des églises romanes. Les murs sont percés de superbes
mosaïques de verre que l'on appelle des vitraux. A l'extérieur, des arcs-
boutants° forment un support qui soutient la structure. — flying buttresses

Construite de 1163 à 1330, Notre-Dame est la première des grandes
cathédrales gothiques de l'Ile-de-France. Depuis ce temps, elle est le
centre de la vie spirituelle parisienne, l'âme de la ville. Au Moyen Age,

Cathédrale gothique

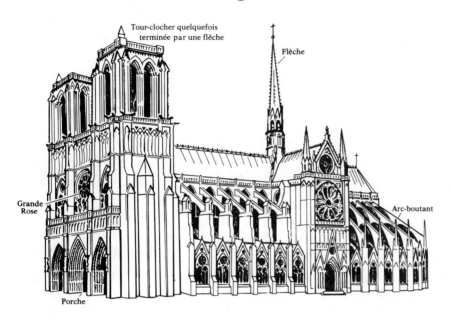

Tour-clocher quelquefois
terminée par une flèche

Flèche

Grande
Rose

Arc-boutant

Porche

Façades

Romane

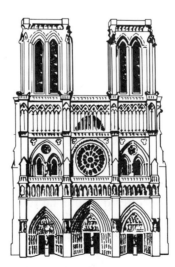

Gothique

L'âme de la vieille cité, Notre-Dame a vécu l'évolution de Paris depuis le 12e siècle.

l'espace devant l'église, le parvis, était le lieu de rencontre de toute la ville. On organisait des pièces de théâtre qui duraient des jours et auxquelles tous les Parisiens participaient.

Notre-Dame a été endommagée° pendant les révolutions et les   damaged
guerres. Mais elle a résisté à ces catastrophes. Aujourd'hui, tous les ans, des millions de touristes viennent du monde entier admirer ce chef-d'œuvre d'architecture et de ferveur religieuse.

Paris: Capitale de l'amour

Cela n'est pas nouveau à Paris. C'est au 12e siècle que s'est déroulée à Paris une des plus grandes histoires d'amour de tous les temps, celle d'Héloïse et d'Abélard.

Abélard était le professeur le plus connu de Paris. Ses disciples venaient de l'Europe entière pour l'écouter parler de philosophie.

Un jour, Abélard est tombé désespérément amoureux d'une jeune élève, Héloïse, qui avait vingt ans de moins que lui. Héloïse était la nièce

d'un chanoine° de Notre-Dame qui s'appelait Fulbert. Elle aussi aimait   cannon (*church official*)
Abélard à la folie. Elle est devenue sa maîtresse et lui a donné un fils:
Astrolabe.

Le chanoine Fulbert, furieux de cette histoire, a fait saisir Abélard et
l'a fait castrer. Abélard et Héloïse ont été séparés à jamais. Lui, est allé à
l'Abbaye du Paraclet où il est mort en 1142. Elle est devenue abbesse
d'Argenteuil, puis du Paraclet.

Les lettres d'amour qu'ils se sont écrites prouvent que leur amour
était plus fort que la séparation. Quand Héloïse est morte, vingt ans
après son amant, on l'a enterrée dans la même tombe que lui. On
raconte qu'un miracle des plus surprenants s'est produit lorsqu'on a
ouvert la tombe pour y mettre le corps d'Héloïse. Abélard lui a tendu les
bras pour la recevoir et l'a embrassée.

La Révolution et la Bastille

Les Parisiens sont individualistes depuis longtemps. A une époque de
leur histoire, ils n'ont pas hésité à faire une révolution qui allait changer
à tout jamais l'histoire de leur pays.

C'était en 1789. Le pays, sous le règne de Louis XVI, souffrait
d'énormes problèmes financiers qui opprimaient l'ensemble de la population et que le roi semblait incapable de régler. Au contraire, par sa
faiblesse, par l'insouciance de la reine Marie-Antoinette et par l'arro-
gance des nobles de son entourage, le roi semblait être la cause de tous
les maux.

Pour le peuple, la prison de la Bastille était devenue le symbole de la
répression. C'est ce symbole que la foule a attaqué le 14 juillet 1789,
annonçant ainsi le vrai début de la Révolution française. La Révolution
devait mettre fin à un régime fondé sur la noblesse et le privilège et
annoncer le début d'une société où tous étaient égaux devant la loi.

Tous les ans, le 14 juillet se fête à Paris et dans toute la France avec
des feux d'artifice, des défilés et des bals populaires.

La rive gauche: L'âme de Paris

Cherchez-vous le Paris des jeunes, un Paris dynamique et excentrique
où les étudiants et les artistes sont chez eux? Alors, c'est la rive gauche
de la capitale qu'il faut choisir.

C'est un monde riche en histoire—mais une histoire vivante, sans
cesse renouvelée. Déjà, il y a près de deux mille ans, on trouvait des

distractions sur la rive gauche. L'envahisseur° romain y avait construit   invader
des thermes ou bains publics ainsi que des arènes. Des ruines de ces
établissements existent encore aujourd'hui.

Le Moyen Age a amené une autre sorte d'invasion—celle des
étudiants. C'est sur la rive gauche que l'Université, les pensions, cafés et
commerces associés au monde universitaire se sont établis. Ils y sont
toujours.

A la Révolution, c'est ici que les journalistes, intellectuels et autres
agitateurs de cette époque historique ont établi leur quartier général.

La rive gauche d'aujourd'hui conserve toutes ces influences du
passé, ce qui en fait un des secteurs les plus actifs et intéressants de Paris.

L'Université de Paris: La Sorbonne

Son nom vient d'un de ses fondateurs, Robert de Sorbon. Robert, devenu théologien, rêvait de créer une vaste cité littéraire et théologique.
C'est ainsi que la Sorbonne est née.

Très vite les étudiants se sont mis à venir de partout. Pauvres pour la
plupart, ils se sont installés sur la rive gauche de Paris. Puisque le latin
était la langue des études à cette époque, bientôt on a appelé ce quartier
étudiant le Quartier latin.

Les cours se donnaient en plein air au début. Plus tard la Sorbonne a
pu obtenir deux maisons et devenir un vrai établissement.

L'université du début du 13e siècle était séparée en quatre facultés.
La faculté des arts accueillait les écoliers de quatorze à vingt ans. A la fin
de leurs études, les élèves avaient accès aux trois facultés supérieures:
Médecine, Droit et Théologie.

Même au Moyen Age, l'Université de Paris réunissait plus de
10.000 étudiants. L'Université a continué de se développer au cours des
siècles. En 1960, la Sorbonne comptait plus de 20.000 étudiants.

Aujourd'hui, elle s'est divisée en de nombreuses universités à Paris
et dans les environs. Le nom, la Sorbonne, existe toujours, mais on
l'utilise essentiellement pour désigner la faculté des Lettres et Sciences
humaines de l'Université de Paris.

Le Quartier latin

Aujourd'hui, le Quartier latin existe toujours sur la rive gauche de Paris:
territoire des étudiants, des libraires, des éditeurs. Le Quartier latin est
une partie de Paris très animée avec ses petits cafés, ses théâtres, ses
restaurants et ses boîtes.° C'est la place Saint-Michel qui marque l'entrée   (*here*) nightclubs
du Quartier latin. De là part sa rue principale, le boulevard Saint-
Michel, le « Boul' Mich ».

Dans le Quartier latin, on peut faire la connaissance d'étudiants de tous les pays; voir des jongleurs, des mimes, des avaleurs de feu. On peut écouter des joueurs de guitare. Beaucoup de choses ont changé depuis les débuts de la Sorbonne, mais l'esprit étudiant vit toujours, comme au 13e siècle.

La Sorbonne, ou Université de Paris, a beaucoup évolué depuis sa fondation au 13e siècle. Les étudiants, eux, ont les mêmes préoccupations.

De l'autre côté de la Seine:
La rive droite

Dès que l'on traverse la Seine pour passer sur la rive droite, le visage de Paris change. On y retrouve le Paris de l'histoire, le Paris des rois et des révolutions.

Le musée du Louvre

Le Louvre, un des musées les plus prestigieux du monde, était une résidence royale. De 1204 à 1860, les rois de France ont contribué à la construction et à la décoration du Louvre. Depuis presque deux cents ans, le Louvre est un musée. On y trouve une collection d'œuvres d'art particulièrement riche. Parmi les tableaux préférés des touristes, il y a évidemment la fameuse *Joconde* ou *Mona Lisa* de Léonard de Vinci.

Le Louvre est plus qu'un vénérable musée. Pour rajeunir son image, on a récemment construit, dans une de ses cours intérieures, une pyramide de verre et d'acier—création moderniste qui sert de pavillon d'entrée au musée.

Le long des Champs-Elysées

On part de l'Ile de la Cité, on passe le Louvre et le jardin des Tuileries pour arriver à la place de la Concorde. Cette place, avec son obélisque au centre et ses superbes statues a été pendant longtemps la scène de l'actualité parisienne. Elle marque l'entrée des Champs-Elysées, une des avenues les plus connues du monde. De la Concorde, le visiteur a une perspective jusqu'à l'Etoile, la place Charles-de-Gaulle, dominée par l'Arc de Triomphe.

Les avenues qui forment des rayons° autour de l'Arc de Triomphe conduisent vers le Paris élégant, celui des grands couturiers, des parfumeurs, des agences de publicité et des banques.

ray or spoke (*of a wheel*)

Montmartre

Pour connaître Paris, il faut aussi se promener dans ses quartiers populaires. Montmartre a été dès la fin du 19e siècle l'endroit préféré des artistes. C'était en fait un village où vivaient poètes, prostituées, peintres, écrivains et flâneurs.° Parmi eux, il y avait le poète Verlaine et les peintres Renoir, Toulouse-Lautrec, Van Gogh, Degas et Picasso.

strollers

Puisque ce village était un peu à l'écart de° Paris, on y cultivait du blé et on faisait pousser la vigne. Des moulins à vent s'élevaient un peu partout. Aujourd'hui, quelques souvenirs de cette époque existent toujours: le célèbre night-club le Moulin Rouge était, à l'origine, un simple moulin à vent de campagne.

away from

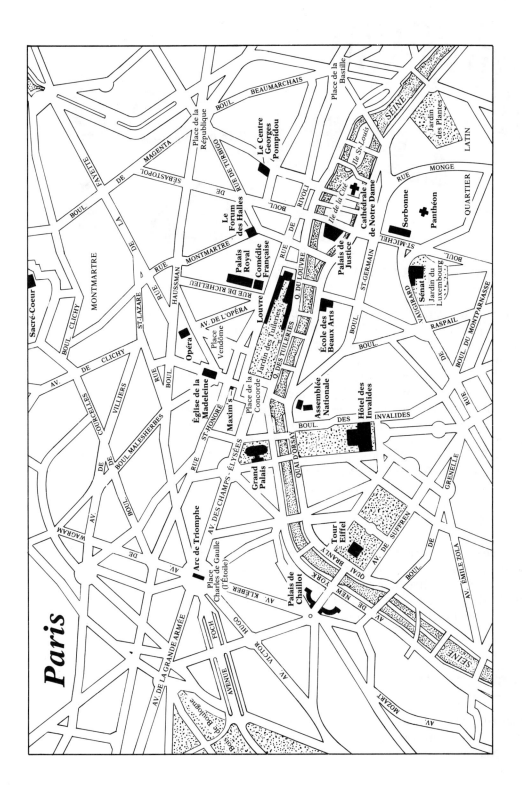

Paris

Les journaux parisiens

Les Français sont de grands lecteurs° de journaux. A Paris, il n'y a pas [readers]
moins de onze journaux quotidiens.° Certains s'adressent à des publics [daily]
très précis: *La Croix*, par exemple, est un quotidien catholique, *L'Humanité* est le journal du parti communiste.

Parmi les quotidiens « généralistes », *Le Monde* et *Le Figaro* sont les
plus connus. *Le Monde* est sans doute le plus intellectuel des journaux
français. Sa politique est de centre gauche et il accorde un large espace
rédactionnel° à la politique internationale et plus particulièrement au [editorial]
tiers monde.° Après certaines difficultés au début des années 80, son [Third World]
tirage° est stable autour de 380.000 exemplaires. [circulation]

Le Figaro se situe nettement plus à droite sur l'éventail° politique. [(*here*) range]
Il accorde moins d'importance aux nouvelles étrangères que *Le Monde*
et essaie de donner une variété d'informations pour satisfaire tous les
goûts. Il tire à 420.000 exemplaires.

Depuis quelques années, le quotidien qui fait le plus parler de lui est
Libération. Créé en 1974, ce journal a mis plusieurs années à s'implanter
sur la scène journalistique parisienne. Gauchiste à l'origine, *Libé*,
comme on l'appelle, a cherché graduellement à atténuer son image.
Aujourd'hui, avec un tirage de 150.000 exemplaires, il est reconnu
comme un concurrent sérieux face aux deux géants que sont *Le Monde* et
Le Figaro.

Les restaurants

Les Français adorent bien manger et les Parisiens en particulier sont très
orgueilleux de leurs grands restaurants. Parmi les plus connus, il faut
mentionner Maxim's.

Plus qu'un restaurant: Une époque

Maxim's, ce nom magique, évoque aussi bien chez les Français que chez les étrangers à la fois Paris, le luxe, le raffinement, la « jet society » et même la France.

Maxim's n'a pas d'âge: dès que l'on pénètre dans le hall d'accueil tendu de velours rouge, on entre dans un autre monde, dans une atmosphère précieuse, légère et raffinée. On se demande alors si, par un brusque retour en arrière, on est transporté dans les fastes° de la Belle Epoque ou, au contraire, dans le luxe sobre et de bon goût de la fin du 19e siècle.

°luxury

C'est le 23 avril 1893 qu'un garçon nommé Maxime Gaillard a ouvert un restaurant, 3, rue Royale. L'Angleterre étant à la mode, il a anglicisé son nom et a baptisé son restaurant « Maxim's ».

En 1979, Maxim's a été classé monument historique par le gouvernement français. Ainsi, après presqu'un siècle de gloire, Maxim's a reçu une distinction rare réservée aux vieilles demeures chargées de souvenirs du passé.

Récemment, le couturier et homme d'affaires Pierre Cardin a fait l'acquisition du restaurant. Sous sa direction, Maxim's a été complètement restauré et refait exactement comme il était à l'origine.

En allant chez Maxim's, non seulement pouvez-vous goûter aux délices de la gastronomie, mais aussi à celles de la gastronomie sociale. Car Maxim's continue à être le point de mire° de la vie parisienne.

°center of attraction

Quatre-vingt-cinq pour cent de la clientèle est française. Tous ceux qui ambitionnent de tenir une place élevée dans les affaires, la politique, le spectacle, viennent chez Maxim's pour s'y sentir connus, sinon reconnus, et montrer ainsi qu'ils font partie du Tout-Paris.

Pour ceux qui ne peuvent pas venir à Paris découvrir Maxim's, Pierre Cardin a maintenant créé des Maxim's à Tokyo, Bruxelles, Rio de Janeiro et Beijing et plus récemment à New York.

Les cafés

Ils sont partout à Paris. Leur terrasse offre le meilleur spectacle de la capitale: les Parisiens pris sur le vif.° Mais d'où sont venus tous ces petits cafés et bistros?   live, in person

Le premier a été fondé en 1686 par un Sicilien, Signore Procopio, juste en face du théâtre à la mode à ce moment-là. Son but était d'offrir au public la nouveauté qui faisait fureur en France: une boisson que l'on appelait le « café ».

Très vite le café Procope est devenu le rendez-vous des artistes et écrivains. Au 18e siècle, Voltaire et Rousseau étaient des habitués. Plus tard, au 19e siècle, Napoléon, Benjamin Franklin, Victor Hugo, Oscar Wilde et bien d'autres encore y passaient des journées entières.

Au 20e siècle, de nouveaux cafés ont attiré les vedettes° littéraires du moment. Ce sont ceux de Saint-Germain-des-Prés qui, par exemple, étaient les lieux préférés de Jean-Paul Sartre et Simone de Beauvoir, les fondateurs de l'existentialisme.   stars

Aujourd'hui, les fast-foods prennent une place importante dans la vie parisienne. On les trouve sur les Champs-Elysées, dans le Quartier latin; en un mot, les McDonalds, Burger King, Wimpy's et même un fast-food très français, Astérix Burger, sont partout dans la capitale. Les habitudes des gens changent; ils sont souvent plus pressés, et les fast-foods conviennent à ce style de vie.

Les spécialités gastronomiques de Paris

La capitale française semble presque trop cosmopolite pour avoir des spécialités gastronomiques bien à elle. En effet, on trouve tout à Paris, y

L'AUBERGE
Anciennement
la petite auberge franc-comtoise
UNE TABLE DE QUALITE
250 F par personne
fermé le dimanche
86, av. J.B.-Clément
92100 BOULOGNE
46.05.67.19 - 46.05.22.35

Les Fast-Foods ne passeront plus.
l'Alsace aux Halles.
Spécialités de poissons et du terroir.
Huîtres et coquillages toute l'année.
Grande terrasse fleurie.
16, rue Coquillière Paris 1er
Tél. 42.36.74.24.
OUVERT JOUR ET NUIT
L'Alsace a fait son trou aux Halles.

compris les spécialités de toutes les provinces françaises et des pays étrangers. Souvent, des provinciaux° installés dans la capitale ont voulu recréer l'ambiance de leur région.

people from the provinces or from the country

Mais Paris a quand même au moins une spécialité que tous les Français lui reconnaissent: son pain. Ce n'est pas un hasard que la fameuse « baguette » soit aujourd'hui connue et vendue dans le monde entier. De nombreux Français croient que le pain, les croissants et les pâtisseries parisiennes sont les meilleurs du pays.

La tour Eiffel: Une jeune dame centenaire

C'est en 1889 qu'elle a été construite, pour coïncider avec l'ouverture d'une grande exposition universelle à Paris. Les mauvaises langues disaient que « cet horrible monument, cette disgracieuse colonne de boulons° pouvait s'écraser à n'importe quel moment ». Pourtant, un siècle plus tard, la tour Eiffel, la Grande Dame de Paris, fait toujours partie du panorama parisien.

bolts

Quand même, il y a quelques années, les autorités parisiennes ont décidé que la tour devait faire une cure de rajeunissement.

D'abord, sa structure commençait à céder sous les tonnes de fer° qui la composent. Puis on disait que ses restaurants n'étaient plus à la hauteur de la tradition gastronomique de la France. Ses ascenseurs tombaient en panne,° forçant régulièrement les visiteurs à grimper° ou redescendre plus de 1.500 marches.

iron

were breaking down / climb

Et, ce qui était plus grave encore, les Parisiens, tout en restant attachés à leur tour, n'y venaient plus. Même les étrangers, pour qui la tour Eiffel avait pendant si longtemps été la principale attraction touristique de la capitale, venaient moins nombreux que par le passé.

Maintenant, le travail de rénovation est terminé. Les ouvriers ont remplacé mille tonnes de métal—un dixième de son poids total—par des matériaux plus légers. Puis la ville de Paris, décidée à bannir la cuisine médiocre de la célèbre tour, a retenu les services d'un groupe associé à Maxim's, le luxueux restaurant parisien. Le groupe a ouvert depuis deux restaurants sur la première plate-forme de la tour: un bistro où l'on sert des steaks, des frites et d'autres mets° ordinaires, et un établissement de luxe, de style Belle Epoque, offrant un vaste éventail de spécialités culinaires françaises.

dishes, food

De nouveaux ascenseurs remplacent les anciens. Et le soir, un nouvel éclairage met la silhouette rajeunie de la vieille dame en valeur. Pour ses cent ans, elle a retrouvé sa forme d'autrefois.

Paris aujourd'hui

La Défense

Le visage de Paris a changé et continue à changer. Au-delà de l'Arc de Triomphe, on aperçoit une cité moderne, des gratte-ciel° qui se massent à l'horizon. C'est un nouveau quartier de Paris appelé « La Défense ».   skyscrapers

Il y a vingt-cinq ans que ce vaste projet d'une ville futuriste a été conçu. Aujourd'hui l'ensemble réunit des appartements, des centaines de magasins et des bureaux. Certaines des plus grandes sociétés françaises: Rhône-Poulenc, Péchiney-Ugine-Kuhlman, Saint-Gobain-Pont-à-Mousson, ont leurs sièges sociaux dans les tours de la Défense.

A la Défense, on a incorporé des zones pour les loisirs. Il y a une patinoire,° des centres d'activités culturelles, des lieux de rencontres pour les habitants.   skating rink

La Défense était un projet grandiose d'une autre époque. Il est probable qu'aujourd'hui ce genre de « Manhattan-sur-Seine », comme l'ont nommé certains Français, ne se ferait plus. Les lois parisiennes interdisent maintenant la construction de tours dans la capitale. Pourtant, en dépit des problèmes et des critiques, la Défense est une réalité qui transforme non seulement le panorama parisien mais aussi les notions d'urbanisme des Français.

Le Centre Beaubourg

Les Français, surtout les jeunes, se plaignent que la vision que nous avons de la France soit encore celle des années 50. Nous nous attachons à une image traditionnelle de leur pays et ne prenons pas en considération les grandes réussites techniques et en particulier les succès architecturaux de la France.

La Défense illustre cette vision de la France moderne, mais l'exemple préféré de ces réalisations est certainement le Centre Georges-Pompidou, le musée Beaubourg.

On s'est beaucoup moqué de cet édifice au moment de sa construction en 1977. Les Français se sont immédiatement divisés en deux camps: ceux qui détestaient et ceux qui adoraient Beaubourg. C'est l'éternelle querelle entre les anciens et les modernes. La même querelle avait d'ailleurs eu lieu au moment de la construction de la tour Eiffel, il y a un siècle. Et, dit-on, au moment de la construction de Notre-Dame!

Les Français et les étrangers se sont toutefois assez rapidement habitués à Beaubourg avec ses tuyaux° multicolores qui font maintenant partie de la scène parisienne.   pipes

Beaubourg n'est cependant pas uniquement une curiosité architecturale. Le contenu est aussi intéressant que le contenant puisque le Centre national d'art et de culture Georges-Pompidou accueille environ

Depuis son inauguration en 1977, Beaubourg est devenu l'attraction
numéro un de la capitale—le rendez-vous des Parisiens et des visiteurs.

six millions de visiteurs par an. Il est devenu le lieu de la capitale le plus
fréquenté, avant la tour Eiffel et le musée du Louvre. Avec ses musées,
bibliothèques, salles de lecture et de rencontres, Beaubourg est un
centre d'animation et de loisirs apprécié de tous.

Les Halles: Une autre
réalisation futuriste

Peu de temps après l'ouverture de Beaubourg, une autre réalisation
futuriste était inaugurée dans la capitale: Le Forum des Halles.

Dans l'histoire de Paris, le quartier des Halles a toujours joué un rôle
important. Les Halles étaient l'ancien marché de Paris. Mais on avait
démoli les anciennes halles et il restait un trou° énorme. Que faire de ce   hole
trou? Des centaines d'idées et de projets ont été suggérés, mais finalement on a conçu le Forum des Halles. C'est tout un complexe de bâtiments avec 250 boutiques, des restaurants, des cafés, des salles de

cinéma, une bibliothèque pour la jeunesse, une maison de poésie, un hall d'exposition, des centaines d'appartements et un hôtel quatre étoiles. Cet ensemble commercial et social ressemble à une immense floraison de métal et de verre au cœur de Paris.

En peu de temps, le Forum des Halles et le Centre Beaubourg ont transformé le quartier où ils sont situés. C'était un vieux quartier sombre où les gens avaient peur de circuler. Grâce à ces constructions et à l'aménagement° de zones pour les piétons, de places publiques où l'on trouve mimes, jongleurs, chanteurs, guitaristes, ce quartier a redécouvert sa joie de vivre. Les Parisiens et les touristes ne s'y trompent pas. En dix ans, l'ensemble Les Halles-Beaubourg est devenu le centre-ville le plus visité du monde.

arrangement

Le parc de la Villette: La technologie à l'honneur

Situé à l'est de Paris, cet immense ensemble a été aménagé sur l'emplacement des anciens abattoirs° de la capitale. Ce quartier était, lui aussi, devenu vieux, sale et peu accueillant.

slaughter-houses

En vue de remédier à cette situation et de donner à la ville un nouveau centre d'intérêt, on y a créé un grand parc qui contient La Cité des Sciences et de l'Industrie avec un des plus grands musées du monde consacré à la science et à la technologie.

En même temps, la ville en a profité pour renouveler toute une section au bord de la Seine en y faisant tracer de beaux boulevards, des places et des terrasses, le tout agrémenté de fontaines.

Le musée Picasso et le musée d'Orsay: Deux nouvelles maisons de la culture

Deux autres nouveaux musées ajoutent à la variété déjà incroyable des musées parisiens: le musée Picasso et le musée d'Orsay.

Situé dans le Marais, l'un des plus beaux et des plus anciens quartiers de Paris, le musée Picasso a ouvert ses portes en 1985. En peu de temps, il est devenu l'une des attractions les plus appréciées des résidents et des visiteurs. Dans un immeuble du 17e siècle, les tableaux, sculptures et céramiques de Picasso ont trouvé une place de choix.

Construite en 1900, la gare d'Orsay est une imposante structure qui est restée longtemps abandonnée. On pensait la démolir. Après de longues années de discussion, on a décidé de la transformer en musée du 19e siècle.

Ouvert en 1986, le musée est consacré à la création artistique sous toutes ses formes: arts plastiques, architecture, photographie, affiches, débuts du cinéma. La période couverte est de 1848 à 1914.

Que faire d'une
ancienne gare de
chemin de fer?
La détruire?
Certainement pas!
Celle-ci, la gare
d'Orsay, est devenue
un grand musée du
19e siècle.

L'Opéra de la Bastille: Pour fêter le bicentenaire de la Révolution

La prise de la prison de la Bastille en 1789 est généralement considérée comme le début de la Révolution française. Aujourd'hui, il ne reste plus rien de cette fameuse prison. Seule une colonne sur la place de la Bastille en marque l'emplacement.

Pour fêter le bicentenaire de la Révolution, on a voulu transformer cette place et encore une fois tout un quartier par la construction d'un grand Opéra populaire de la Bastille. Ce projet continuera bien au-delà de 1989.

Comment le travail d'administration se fait-il?

Paris est divisé en vingt arrondissements. Chaque arrondissement a un maire et des conseillers. Mais les arrondissements ont, en fait, peu de pouvoirs. Le vrai pouvoir de décision est concentré à l'Hôtel de Ville de Paris. C'est là que les décisions sont prises. C'est le maire de Paris qui a le plus grand pouvoir de décision concernant les affaires de la capitale.

Quelles sont les priorités? Depuis quelques années, l'essentiel du budget est consacré à l'amélioration° de la vie quotidienne des Parisiens. Plus d'un tiers du budget est consacré à la vie culturelle, sociale et sportive. Un cinquième des dépenses vont à l'environnement et à l'urbanisme.

improvement

Il est évident que la ville de Paris n'est pas une ville comme les autres. Pour avoir une toute petite idée de l'ampleur des problèmes, regardons quelques chiffres. La ville emploie 36.000 fonctionnaires et 35.000 policiers.

Chaque année, on entretient 2.500 bâtiments municipaux, plus de 5.000 rues et voies publiques. Il y a, à Paris, 40.000 plaques de rue, 6.000 corbeilles à papier—un inventaire qui donne le vertige.

Le terrorisme: Un problème de taille°

important, serious

La France a une longue tradition de terre d'asile et d'accueil des réfugiés politiques du monde entier. Leur présence a contribué à développer une attitude cosmopolite, ouverte sur le monde, surtout à Paris et dans les grandes villes.

Certains croient maintenant que cette politique de frontières ouvertes a laissé entrer dans le pays un bon nombre de terroristes et d'éléments indésirables et qu'elle est responsable des attentats terroristes dont souffre Paris depuis une dizaine d'années.

Il s'agit là d'un grave problème auquel le gouvernement essaie de faire face avec de nouvelles mesures de sécurité et de nouveaux contrôles. C'est une guerre qui, cependant, n'est pas encore gagnée.

Au-delà de Paris

La capitale française est une ville très spéciale que chacun découvre à sa façon. Pour certains, l'attrait de la ville sera le shopping et les night-clubs. Pour d'autres, ce sera la richesse culturelle et artistique. Tous, et cela est certain, seront captivés par sa beauté, son élégance, sa luminosité.

Mais, Paris n'est pas la France. Il y a bien d'autres richesses à découvrir en parcourant les régions françaises, car chacune a son histoire, son accent particulier, son charme.

▬ *COMPRÉHENSION*

1. D'où vient le nom de la capitale française?
2. Quelle a été la contribution à la ville de Paris de:
   a. Jules César
   b. Philippe Auguste
   c. la cathédrale de Notre-Dame
   d. Abélard
   e. Maxime Gaillard
   f. Pierre Cardin
3. Imaginez que vous êtes Robert de Sorbon. Vous rêvez de fonder une université à Paris et vous voulez que le roi vous aide. A quel roi vous adressez-vous, et à quel palais le trouvez-vous? Expliquez au roi qui vous êtes. A l'aide de la carte de Paris, indiquez-lui où sera l'emplacement de votre université. Expliquez-lui d'où viendront les étudiants, où ils vivront, quels cours ils suivront.
4. Sur la carte, trouvez la place de la Concorde. Quelles autres attractions de la rive droite pouvez-vous identifier?
5. Si vous étiez parisien, quel journal liriez-vous? Pourquoi?
6. A votre avis, qui sont les clients du restaurant Maxim's? Pourquoi choisissent-ils ce restaurant?
7. Que trouvent les touristes dans les musées suivants:
   a. Le Louvre
   b. Le musée Picasso
   c. Beaubourg
   d. Le musée d'Orsay
8. Pourquoi ne voyez-vous pas la Défense sur la carte?
9. Faites une liste des monuments et attractions de Paris qui illustrent le Paris traditionnel. Faites une liste d'éléments qui illustrent le Paris moderne.

10. Quels sont les endroits de Paris qui servent de lieux de rencontres?
11. A quoi correspondent les dates suivantes: 1789, 1889, 1989?

QUESTIONS

1. Si vous alliez chez Maxim's, comment vous habilleriez-vous? Quelle est la première personne que vous verriez en entrant? Que lui diriez-vous? A qui parleriez-vous ensuite? Comment sauriez-vous quoi commander? Et quels vins choisir? A combien croyez-vous s'élèverait l'addition? Comment la règleriez-vous (argent, carte de crédit, autre)?
2. Comment est organisée l'administration de votre ville? Quels sont les problèmes et les priorités de votre ville? Comparez avec ce que vous savez de Paris.
3. Quel est le monument le plus ancien de votre ville? Que symbolise-t-il? En quel état est-il? A-t-il besoin de rénovation? Est-ce une attraction touristique?
4. Que savez-vous du Moulin Rouge et des autres night-clubs parisiens?
5. Vous allez passer une semaine à Paris. Comment vous y rendez-vous? Où arrivez-vous? Comment allez-vous au centre-ville? Où logez-vous? Comment allez-vous circuler à Paris pendant une semaine? Qu'allez-vous visiter à Paris? Où obtiendrez-vous les renseignements dont vous avez besoin?

EXERCICES DE LANGUE

1. Dans la section *Notre-Dame* à la page 18, le texte dit « On organisait des pièces de théâtre qui duraient des jours... ». Qui organisait ces pièces de théâtre?
2. Dans la section *Le long des Champs-Elysées* à la page 22, à quoi correspond le pronom *elle* dans la phrase « Elle marque l'entrée des Champs-Elysées »?
3. Faites un inventaire des professions et des nationalités mentionnées ou suggérées dans ce chapitre.
4. Trouvez dans ce chapitre des termes qui s'appliquent à la construction ou à l'architecture.
5. « Paris a plus de monde que n'importe quelle autre ville de France ». En utilisant ce modèle, faites des phrases avec les éléments suivants:
   a. plus de talent que n'importe quel(le)
   b. plus d'argent que n'importe quel(le)
   c. plus d'ambition que n'importe quel(le)

▄▄ DISCUSSION/COMPOSITION

1. Racontez une soirée passée dans un grand restaurant parisien tel que Maxim's. Parlez du cadre, de la carte, des autres clients, des prix, de votre impression générale.
2. Deux personnes parlent de la transformation de Paris. Une la déplore et parle des beautés du passé et des problèmes actuels. L'autre croit au renouveau, parle de toutes les nouveautés de la capitale et en explique les avantages. Racontez leur conversation.

▄▄ PROJET

Faites faire un tour guidé de Paris à la classe en choisissant un des thèmes suivants:

1. le Paris historique
2. le Paris des artistes
3. le Paris des spectacles et divertissements

Vous pouvez utiliser un plan de Paris, des diapositives, photos, cartes postales ou autres illustrations.

Les Bretons naissent° avec de l'eau de mer autour du cœur », dit un proverbe populaire. Dans cette province, la plus ancienne du territoire français, il n'est pas étonnant que l'océan occupe une place si importante.

°are born

En effet, avec la mer qui l'entoure sur trois côtés, la Bretagne est presque une île. Cet isolement géographique a, depuis des siècles, donné un caractère unique et spécial à cette région.

On vit à l'heure de la mer

C'est une terre qui vit au rythme de la mer, on pourrait même dire à l'heure de la mer. Car ce sont les heures des marées° qui règlent la vie, non seulement des pêcheurs bretons, mais aussi de bon nombre des habitants de la province.

°tides

A marée haute, les bateaux quittent le port pour aller pêcher au large la sardine, la morue,° le thon et les crustacés.

°cod

A marée basse, d'autres pêcheurs vont ramasser les moules,° les huîtres° et les crevettes° qui sont parmi les grandes spécialités de la cuisine bretonne.

°mussels
°oysters / shrimp

Des explorateurs aussi

Peuple de pêcheurs, les Bretons sont depuis toujours de grands explorateurs. Bien avant les voyages de Christophe Colomb, des pêcheurs du port de Paimpol s'étaient rendus à Terre-Neuve.°

°Newfoundland

Et quand, au 16e siècle, le roi François Ier a décidé d'organiser une expédition au Nouveau Monde, il a choisi un marin d'une autre ville bretonne, Saint-Malo, pour préparer et diriger ce voyage. Ce marin s'appelait Jacques Cartier, et c'est lui qui, en 1534, a découvert le Canada.

L'héritage celtique: Le rêve et le mystère

La mer fournit le poisson qui est à la base de l'économie de la région. Elle a aussi suscité l'esprit d'aventure et d'exploration des Bretons. Mais, en outre, elle semble avoir créé, chez les Bretons, un penchant pour la rêverie et le mystère.

Pays de magiciens, d'esprits, de démons, la Bretagne, si l'on en juge par ses légendes, par ses superstitions et son folklore, est hantée de fées, d'enchanteurs, de sirènes.

En cela les Bretons restent attachés aux traditions et aux croyances de leurs ancêtres celtes qui, aux 4e et 5e siècles, sont venus s'établir sur ces côtes sauvages.

SAINT-MALO
BRETAGNE
RENDEZ-VOUS 1984
SAINT·MALO
Jacques Cartier
1534·1984
450ᵉ anniversaire
de la 1ʳᵉ exploration du Canada
par Jacques Cartier

Ces Celtes avaient donné le nom d'*Armorique* à cette région. Armorique veut dire « Pays près de la mer ». Plus tard, quand d'autres Celtes expulsés de Grande-Bretagne sont venus en Armorique, ils ont changé son nom et l'ont appelée « Petite Bretagne ».

Les légendes

Parmi les centaines de légendes qui font partie du folklore breton, certaines sont connues dans le monde entier. La tragique histoire de Tristan et Iseult en est un exemple. On se souvient qu'Iseult, destinée à être la femme du roi Marc, avait bu, par accident, un philtre magique qui l'unissait à tout jamais au jeune neveu du roi, Tristan.

Toutes les légendes du roi Arthur et des chevaliers de la Table ronde sont aussi d'origine bretonne, y compris celle de la Quête du Saint-Graal. Le Saint-Graal était la coupe dans laquelle quelques gouttes du sang du Christ avaient été recueillies. La légende voulait que cette coupe ait disparu quelque part en Bretagne et que seul un chevalier au cœur pur puisse la retrouver.

La Bretagne est aussi la terre natale de l'enchanteur Merlin, magicien malicieux qui de sa baguette° pouvait anéantir° les lois de la pesanteur, du temps et de l'espace. Il pouvait s'envoler dans les airs, déplacer les montagnes, parler à longue distance. Lien entre le monde réel et le monde fantastique, l'enchanteur Merlin annonce en quelque sorte les héros de la science fiction.

wand / abolish

Les saints aussi

Dans cette terre où le merveilleux et le surnaturel s'allient à la réalité de tous les jours, les exploits des saints se sont vite ajoutés à ceux des chevaliers antiques, des fées, des animaux fantastiques.

Comme ailleurs, les saints ont bientôt eu la mission de protéger les villes qui portaient leur nom. Mais d'autres fonctions leur ont aussi été attribuées: on comptait sur eux comme guérisseurs de maux d'estomac, de maux de tête ou de dents.

Le renouveau des traditions

Les Bretons et la langue de leurs ancêtres celtes

Aujourd'hui, plus que jamais, l'héritage celtique est en train de revivre. Cette renaissance est évidente d'abord au niveau de la langue, car les Bretons ont gardé la langue de leurs ancêtres. C'est une langue qui remonte au 5e siècle et qui ressemble plus au gallois° qu'au français. Pendant des siècles, le gouvernement français a tout fait pour décourager l'usage de la langue bretonne. Il en a même interdit l'enseignement dans les écoles, de peur de voir cette province farouchement individualiste s'isoler encore plus du reste de la France et même s'en séparer. Mais aujourd'hui la situation commence à changer. Les parents peuvent de nouveau donner des prénoms bretons à leurs enfants; on publie maintenant des revues et des livres en langue bretonne. Les jeunes, en particulier, veulent s'exprimer dans leur propre langue.

Welsh language

Alan Stivell: Chantre breton

En Bretagne, comme ailleurs, certaines coutumes locales ont disparu. Et des formes traditionnelles d'artisanat: la dentelle,° la sculpture sur bois, par exemple, se sont perdues. Pourtant, depuis une dizaine d'années, on note un renouveau de la musique d'origine celtique. Le chanteur Alan Stivell est devenu une des voix principales de son peuple. Sa musique s'inspire d'anciens rythmes celtiques. Ses paroles prêchent la révolution:

lace work

« Quand je lutte pour le droit du peuple breton à l'expression, dit-il, je lutte pour tous les petits peuples du monde, qui, bien que moins riches et désarmés, sont les égaux des grandes puissances; je lutte contre

Avez-vous envie d'un repas pas cher et typique de la Bretagne? Les crêperies vous offrent un menu varié et appétissant.

l'homme-éprouvette,° enrégimenté et numéroté. Or, justement, à présent, les Celtes ont quelque chose de très important à dire. C'est pourquoi, si j'ai voulu faire redécouvrir aux Bretons leur propre culture, si je veux faire connaître au monde entier la culture celtique, ce n'est pas seulement parce que les mélodies sont belles... »   test-tube creature

Il rêve d'un peuple breton confiant et libre. Son espoir pour un renouveau, Stivell le résume ainsi:

Me lavar ha lavaro	Je le dis et je le dirai
Se ne bado ket atao	Ça ne durera pas toujours
Me lavar ha lavaro	Je le dis et je le dirai
Se ne bado ket atao	Ça ne durera pas toujours.

On ne vit pas que de chansons

Le caractère régionaliste de la Bretagne ne se traduit pas uniquement par ses légendes et par la contestation. La gastronomie a aussi son importance dans la vie des Bretons et des visiteurs.

Au menu. Les poissons et les fruits de mer abondent, évidemment. Le voyageur dont le portefeuille° n'est pas très bien garni sera plutôt tenté de s'arrêter dans une des crêperies accueillantes qu'il trouvera partout sur son chemin. Dans ces petits restaurants sympathiques, il dégustera des crêpes sucrées, faites avec de la farine° blanche, servie   wallet, billfold   flour

41

avec du miel ou de la confiture. Il voudra aussi goûter à la galette de sarrasin,° servie souvent avec à l'intérieur des saucisses grillées.   buckwheat

Ces saucisses, ainsi que les pâtés de campagne et les jambons de toutes sortes, font partie des célèbres charcuteries du pays. Celles-ci font les délices des habitants et des visiteurs tout au long de l'année, mais en particulier à l'occasion des nombreuses fêtes campagnardes. Dans certains villages, la coutume veut même que l'on apporte au lit des jeunes mariés, le lendemain de leurs noces, une mince tranche de porc du pays.

Le climat tempéré de la Bretagne en fait aussi un des grands jardins de la France: les meilleurs artichauts, pommes de terre et choux-fleurs de France sont cultivés ici. Si vous vous promenez dans la petite ville d'Yffiniac, vous verrez des rues bordées d'étalages d'oignons et d'ails°   garlic
tressés en chaîne. Une grande partie de cette production d'oignons est exportée en Angleterre.

Les grandes villes bretonnes

Brest

Cette ville de 300.000 habitants est le port militaire le plus important de France depuis le 12e siècle. Elle a été détruite et reconstruite plusieurs fois à la suite des guerres, y compris la Seconde Guerre mondiale.

Ville industrielle et commerciale, Brest est avant tout une ville maritime. Ses anciennes coutumes, à peu près perdues aujourd'hui, le démontrent: jusqu'au 18e siècle, tout jeune homme qui voulait se marier devait prouver qu'il savait plonger et nager.

De nos jours, Brest est un port de pêche et de commerce important. C'est aussi là que l'on peut voir un grand nombre de navires de la flotte°   fleet
française.

Nantes

Capitale de la Bretagne du 10e au 15e siècles, Nantes est aujourd'hui une importante ville commerciale et culturelle. Vous y trouverez de merveilleuses résidences datant du 15e siècle et un imposant château du 16e siècle.

Pour les Français, Nantes est également la capitale du biscuit, car c'est là qu'une des plus grandes biscuiteries de France, la maison LU, s'est établie au siècle dernier.

Il s'agissait d'abord d'une petite entreprise familiale. Un monsieur Lefèvre a épousé une demoiselle Utile; et les biscuits qu'ils ont fabriqués et qu'ils ont appelés Lefèvre-Utile ont eu vite du succès. La petite affaire

de famille est devenue une grande société commerciale. La grande actrice, Sarah Bernhardt, s'est exclamée un jour: « Je ne trouve rien de meilleur qu'un petit LU. Oh si! Deux petits LU!»

Depuis quelques années, les petits LU prennent d'assaut le marché américain. Ils ont déjà réussi à se tailler une place de choix parmi les biscuits haut de gamme° en vente dans les magasins et supermarchés.   top of the line, luxury

Quimper

Si Nantes est la capitale du biscuit, Quimper est, pour sa part, la capitale de la porcelaine. Cette industrie locale produit une porcelaine gaie, en tons de bleu ou de jaune dont les motifs évoquent les figures folkloriques des anciens Bretons. Aujourd'hui, de plus en plus de boutiques américaines offrent aussi cette porcelaine.

Rennes

On imagine difficilement une ville bretonne à la pointe du progrès technologique. Pourtant, c'est le cas de Rennes.

En 1982, le gouvernement français déclarait: « Si la France ne peut s'offrir ou se payer qu'une seule industrie,... il faut que cela soit l'élec-

Cherchez-vous un numéro de téléphone? Le Minitel vous le trouvera tout de suite. Rennes a été une des premières villes de France à offrir ce service.

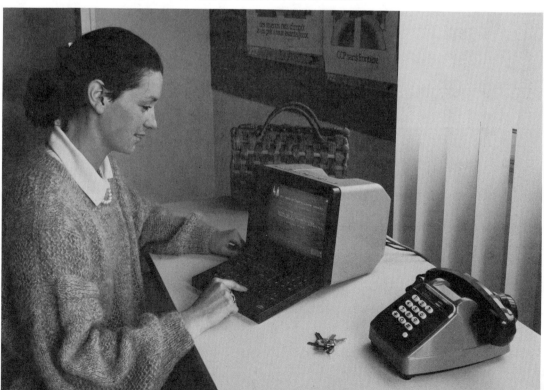

tronique. » Cette décision marquait un engagement de la part de la France face à cette industrie de pointe.

La ville de Rennes a été choisie pour une expérience qui illustre bien le désir du gouvernement français de faire entrer l'ordinateur° à la maison. Dès 1982, quatre mille foyers à Rennes ont été équipés d'un annuaire° de téléphone électronique. Un terminal, un clavier et un écran remplacent le traditionnel volume. Par ce terminal, appelé Minitel, les usagers peuvent interroger un ordinateur central qui contient en mémoire la liste de tous les abonnés.

computer

directory

L'annuaire électronique possède de grandes qualités. Si l'abonné n'est pas sûr de l'orthographe du nom qu'il cherche, l'ordinateur lui propose toutes les possibilités qui se prononcent de la même façon. D'autre part, l'ordinateur, s'il ne trouve pas le numéro dans la ville indiquée, le cherchera dans les villes voisines.

Outre l'annuaire électronique, le Minitel offre les services les plus variés. On peut vérifier la météo° dans toute la France, apprendre quels films se donnent dans sa ville ou sa région, ou encore lire son journal quotidien sur l'écran ou s'adonner° à des jeux de toutes sortes.

weather report

devote oneself

Il y a, chez certains Français, une résistance à l'annuaire électronique. Pour encourager les gens à l'utiliser, le service est gratuit pour ceux qui en font la demande. Depuis ses débuts à Rennes, l'usage du Minitel s'est graduellement généralisé dans toute la France.

Environnement: Echecs° et succès

failures

Les marées noires

Au cours des années passées, les espoirs des Bretons d'attirer les vacanciers ont quelquefois été déçus à cause d'un grave problème écologique: les marées noires.

En 1980, le pétrolier *Tanio* se cassait en deux sur les côtes de la Bretagne. Six mille tonnes de pétrole s'écoulaient vers les rives, noircissant les plages et s'infiltrant dans les bancs d'huîtres et de crevettes. Deux ans plus tôt, l'*Amoco Cadiz* avait sombré sur les rochers au large de la Bretagne. Deux ans auparavant, en 1976, deux autres navires avaient eu des accidents semblables.

La Bretagne vit dans la crainte des marées noires car malheureusement, les Bretons se trouvent au bord d'une des voies maritimes les plus fréquentées du monde. Les pétroliers venant du Moyen-Orient en route vers les ports d'Europe doivent passer au large des côtes bretonnes.

Que faire pour régler ce problème? Les Bretons croient que le

Les rives, les plages, les villes de Bretagne souffrent des marées noires. Ici, des soldats nettoient la ville de Brest après la catastrophe de l'*Amoco Cadiz*.

gouvernement français devrait exiger le renforcement du droit international. Il faudrait interdire partout dans le monde les bateaux qui ne correspondent pas aux meilleures normes de sécurité.

A la suite de chacun de ces accidents, la Bretagne a mis de longs mois à se remettre de cette pollution de ses eaux et de ses rives ainsi que des pertes financiaires qui en ont résulté.

Les centrales nucléaires

Selon les Bretons, un autre danger menaçait leur région il y a quelques années. A Plogoff, en Bretagne, le gouvernement français avait prévu la construction d'une centrale nucléaire de 5.200 mégawatts.

La loi française prévoit que dans un tel cas, le projet doit être officiellement soumis aux habitants de l'endroit pendant une période de six semaines. A Plogoff, la décision avait été prise sans consultation préalable. Les habitants ont donc réagi avec des lance-pierres et dés cocktail-molotov.

Pour les Bretons, cette décision du gouvernement central, prise sans consultation locale, était tout à fait représentative de l'attitude de Paris. Plogoff s'est vite transformé en symbole autonomiste pour les Bretons. Au cours des manifestations, on a même vu de vieilles dames portant la coiffe traditionnelle de la région s'attaquer aux forces de l'ordre.

Quelques mois après avoir annoncé le projet, le gouvernement décidait de suspendre indéfiniment la construction de la centrale nucléaire de Plogoff. Les Bretons remportaient une importante victoire.

Aujourd'hui, cette victoire est essentiellement symbolique car le mouvement breton ne s'est pas répandu ailleurs en France.

La réussite: L'énergie des marées

En Bretagne, la mer est une source de vie, de légendes et de richesses depuis des siècles. A notre époque, elle offre encore une autre ressource à la France.

Au moment où le monde entier est à la recherche de nouvelles sources d'énergie, on trouve en Bretagne la seule station électrique qui utilise l'énergie des marées.

C'est sur la Rance, fleuve près de Saint-Malo, qu'a été construite cette station en 1961. Maintenant elle a une capacité de 240.000 kilowatts, c'est-à-dire qu'elle génère assez d'énergie pour allumer deux millions et demi d'ampoules électriques normales. Quand la marée monte, l'eau coule dans des turbines qui génèrent de l'électricité. Quand la marée baisse, l'eau qui coule dans la direction opposée produit le même résultat.

Sur la Rance, des marées de treize mètres et demi de hauteur permettent ce genre d'installation unique au monde.

Un espoir pour l'avenir

En dépit de son charme, de son esprit d'indépendance et de sa ténacité, la Bretagne est une région pauvre qui dépend en grande partie des vacanciers français et des touristes étrangers pour survivre.

Une récente décision du gouvernement français devrait faciliter l'accès de la Bretagne et encourager les visiteurs à s'y rendre encore plus souvent. Le T.G.V. (Train à grande vitesse) qui relie déjà Paris à Lyon, Dijon et autres grandes villes, inaugurera d'ici peu une ligne Atlantique qui rattachera la capitale aux stations balnéaires° bretonnes telles que La Baule. On s'attend à ce que cette liaison encourage les Parisiens à venir en plus grand nombre en Bretagne et contribue grandement à redresser la situation économique de la région.

beach resorts

■ *COMPRÉHENSION*

---

1. Comment la mer a-t-elle influencé les Bretons au cours de leur histoire? A-t-elle autant d'influence aujourd'hui? Pourquoi ou pourquoi pas?
2. Qui sont nos héros de science fiction? En quoi leur comportement ressemble-t-il à celui de Merlin? En quoi diffère-t-il? Nos héros ont-ils le cœur pur?
3. Quelle a été l'attitude du gouvernement français envers la langue bretonne? Qu'est-ce qui a changé maintenant?
4. Imaginez que vous participez à une manifestation en Bretagne à laquelle assiste Alan Stivell. Quels messages sont inscrits sur les affiches des participants? Suggérez au moins trois possibilités.
5. Avec quoi les crêpes sont-elles servies en Bretagne?
6. Qu'est-ce qui vous semble intéressant au sujet des villes suivantes:

   a. Nantes   d. Brest
   b. Rennes   e. La Baule
   c. Quimper   f. Plogoff

7. Comparez le Minitel à l'annuaire traditionnel (la forme, la façon de l'utiliser, les avantages, les inconvénients).

8. Faites un petit tableau des accidents maritimes bretons tels qu'ils sont présentés dans la section: *Les marées noires.*

▬ QUESTIONS

1. Les Bretons sont peut-être les Français les plus individualistes. A votre avis, qu'est-ce qui contribue à cette attitude?
2. Le folklore breton est rempli d'êtres surnaturels ou fantastiques. Quels équivalents avons-nous dans notre pays ou dans d'autres pays que vous connaissez?
3. La Bretagne redécouvre son passé et ses traditions. Nous avons, aux Etats-Unis, des mouvements semblables de recherches ethniques. Pourquoi nous intéressons-nous au passé?
4. Que savez-vous concernant le roi Arthur? Tristan et Iseult? Les chevaliers de la Table ronde? L'enchanteur Merlin?
5. Les Bretons ont dit non au nucléaire. Pourquoi, à votre avis, ont-ils pris cette décision? Ont-ils raison?
6. Le Minitel est aujourd'hui répandu dans toute la France. Que pensez-vous de ce système? Pourquoi n'est-il pas disponible aux Etats-Unis?

▬ EXERCICES DE LANGUE

1. Quels adjectifs pouvez-vous trouver dans le texte pour décrire la Bretagne?
2. On dit que les Bretons vivent « à l'heure de la mer ». Cette expression suggère que la mer exerce une grande influence sur leur vie. A quelle heure vivez-vous? A l'heure du soleil? Du patron? Des autobus? Des enfants?
3. Alan Stivell parle des « petits peuples du monde » et des « grandes puissances ». Que veulent dire ces termes? Quels pays pouvez-vous mettre dans ces deux catégories?
4. Stivell dit aussi qu'il lutte contre « l'homme-éprouvette, en-régimenté et numéroté ». De qui parle-t-il? Pourquoi utilise-t-il ces termes?
5. Dans la section, *On ne vit pas que de chansons,* trouvez une description du mot *crêperie.*
6. Pourquoi le terme *marée noire* est-il très efficace pour décrire la catastrophe d'un pétrolier telle que celle du *Tanio?*
7. Faites une liste de mots dans ce chapitre qui se rapportent à la mer.
8. Faites une liste des termes qui se rapportent à l'énergie.

■ *DISCUSSION / COMPOSITION*

1. Comment résoudre le problème des marées noires? A qui doit être attribuée la responsabilité des accidents? Quelles pénalités peut-on imposer à ceux qui polluent nos océans?
2. Quels arguments utiliseriez-vous pour convaincre les gens d'adopter le Minitel? Pouvez-vous créer un slogan publicitaire dans ce but?

■ *PROJETS*

1. Apportez à la classe une recette de crêpes ou de galettes de sarrasin.
2. Racontez à la classe une aventure des chevaliers de la Table ronde.

Comme la Bretagne, sa voisine, la Normandie est une région tournée vers la mer. Deux des ports les plus importants de France, Le Havre et Rouen, se trouvent ici. Autour de ces centres, se sont développées des industries modernes vitales pour l'économie du pays: l'automobile et l'industrie pétro-chimique. Ces activités s'ajoutent aux activités traditionnelles normandes: l'agriculture, la pêche, l'exploitation des mines de fer, les textiles.

Cette fusion fait de la Normandie une des régions les plus prospères de la France. Les livres parlent des « verts pâturages° » normands; les gourmets connaissent ses fromages—le camembert en particulier—et les touristes visitent au moins une de ses merveilles: le Mont-Saint-Michel.

pastures

1066: Une date qui a changé l'histoire de la France

L'an 1066 est celui de la Bataille de Hastings—une des batailles les plus connues de l'histoire. La victoire des Normands sur les Anglais a marqué le début de la Conquête normande et du règne de la France sur l'Angleterre. Les résultats de cette conquête ont été d'une grande portée:° la présence des conquérants et de leurs descendants a eu une influence considérable sur la langue, l'architecture et la culture anglaises. C'est en Normandie que tout a commencé.

far-reaching

La tapisserie de Bayeux illustre la Bataille de Hastings.

Un conquérant qui s'appelait Guillaume

Guillaume était le fils illégitime du duc de Normandie, Robert le Magnifique. Robert est mort aux croisades sans laisser d'autre héritier que Guillaume, qui n'avait alors que sept ans. Malgré tous les complots contre lui, Guillaume, devenu adulte, a réussi à dominer ses adversaires et à rétablir l'unité de son duché.

Guillaume était parent du roi anglo-saxon, Edouard le Confesseur, et s'en estimait l'héritier. Mais il y avait un autre prétendant à la couronne d'Angleterre, Harold. Un jour, celui-ci est venu en Normandie et, sous serment,° a reconnu les droits de Guillaume au trône d'Angleterre. Mais de retour dans son pays, Harold a oublié ses promesses. Frustré et furieux, Guillaume a réuni ses barons et a annoncé que l'on allait faire la guerre aux Anglais.   oath

L'expédition se prépare pendant plusieurs mois. Enfin, en juin 1066, Guillaume et l'armée normande débarquent sur les côtes anglaises. C'est à Hastings que la bataille définitive a lieu. Guillaume fait face aux troupes de Harold et remporte la victoire. Harold meurt au combat. Guillaume le Bâtard est couronné roi d'Angleterre et prend le nom de Guillaume le Conquérant.

La tapisserie de Bayeux: Une œuvre qui raconte cet exploit

Saviez-vous qu'au 11e siècle les Anglais avaient des moustaches et que les Normands portaient les cheveux courts?

Un banquet normand avant la grande bataille.

Nous avons, par chance, un document authentique de l'époque qui nous donne ces renseignements et bien d'autres sur la vie quotidienne des gens du Moyen Age.

Ce chef-d'œuvre est une tapisserie longue de soixante-dix mètres qui, comme une bande dessinée, montre en cinquante-huit scènes l'histoire de la conquête de l'Angleterre par Guillaume, duc de Normandie, en l'an 1066. Un texte brodé décrit brièvement chaque scène.

Les armes et la guerre au Moyen Age

La tapisserie est, évidemment, l'histoire d'un combat. Elle nous donne mille détails concernant la façon de faire la guerre au Moyen Age.

Nous voyons que les Normands et Saxons combattaient avec une lance, qu'ils portaient une épée° et un bouclier.° Le combat se faisait aussi avec une hache.° On apprend que les archers avaient un rôle important puisque nous les retrouvons souvent dans la tapisserie.

sword / shield
axe

La vie de tous les jours

La tapisserie de Bayeux dépeint aussi la vie quotidienne des gens du 11e siècle. Nous voyons comment ils s'habillaient, ce qu'ils mangeaient, comment étaient faits leurs maisons, palais et églises. Nous connaissons leurs travaux de tous les jours.

D'où vient cette tapisserie?

Apparemment, peu après la conquête de l'Angleterre, un évêque ° de Bayeux, Odon, aurait fait faire la tapisserie pour décorer la Cathédrale de Bayeux qu'il venait de faire construire. A l'époque, Bayeux était, avec Caen, une des villes les plus importantes du duché de Normandie.

bishop

Aujourd'hui, Bayeux est une ville moyenne de province. Ses attractions touristiques principales sont sa cathédrale et sa tapisserie—qui est maintenant logée dans une salle de musée juste à côté de la cathédrale.

Caen: La capitale de Guillaume et de la reine Mathilde

Guillaume et sa femme, la reine Mathilde, avaient choisi la ville de Caen comme capitale. On voit encore aujourd'hui à Caen la citadelle que Guillaume a fait construire. Les remparts et une cour intérieure sont toujours visibles mais tout le reste a été détruit.

Les deux monastères construits par Guillaume et Mathilde au 11e

L'Abbaye aux Hommes, construite il y a neuf cents ans par Guillaume le Conquérant, a survécu aux destructions des guerres.

siècle existent toujours. L'Abbaye aux Hommes, qui comprend l'Eglise de Saint-Etienne et l'Abbaye de la reine Mathilde ou Abbaye aux Dames, avec l'église de la Trinité, sont parmi les plus beaux exemples de l'art roman.

Caen: Victime de la guerre

Il est encore plus étonnant que ces monuments existent toujours quand on se souvient que la ville de Caen a été un des champs de bataille les plus importants de la Seconde Guerre mondiale. Pendant onze jours, en juin 1944, les bombes sont tombées sans arrêt. Plus de 15.000 personnes se sont réfugiées dans l'Abbaye aux Hommes. La bataille a duré deux mois et au cours de ce temps, tout le centre de Caen a été détruit.

La nouvelle ville

Caen est aujourd'hui une ville moderne et prospère. Une nouvelle université a été construite près du château de Guillaume. L'industrie a été tout à fait renouvelée. Caen est un des ports les plus actifs du pays. C'est de là que partent les exportations du minerai qui provient des mines de fer de la Normandie.

Les Normands gourmands

La Normandie est une terre riche. Ses verts pâturages donnent des laits onctueux, des crèmes épaisses, des beurres délicieux et des fromages célèbres dans le monde entier. C'est ici que le camembert, le fromage le plus exporté de France, est né. C'est une fermière du pays, Marie Harel, qui l'a « inventé » en 1790. Pour manifester leur appréciation, les gens de son village lui ont élevé une statue.

    La Normandie est aussi le pays des pommes. Avec les pommes on fait du cidre et... du calvados, une eau-de-vie° « qui est à la pomme ce que le cognac est au raisin. »

brandy

Les paysages de la côte normande étaient les préférés des peintres impressionnistes. Ici, Monet présente les *Bateaux rouges à Argenteuil*.

Le pays des peintres impressionnistes

« Nous sommes en grand nombre en ce moment... Boudin et Jongkind sont là, nous nous entendons à merveille. Je regrette que vous ne soyez pas là, car, en pareille société, il y a beaucoup à apprendre. » Celui qui a écrit ces notes s'appelait Claude Monet. Il avait vingt-quatre ans. Un an plus tard, en 1865, deux de ses tableaux étaient acceptés au Salon de la Peinture. On parlait de « l'Impression » qu'il essayait de communiquer dans ses toiles.° paintings

 Monet et ses amis, les peintres impressionnistes, ont passé les années suivantes à analyser les sensations lumineuses de la mer, du ciel, des paysages les plus variés, des villes et de leurs édifices.

 Le centre de leur activité se trouvait en Normandie. Monet était du Havre, le deuxième port de France (après Marseille). Son ami, le peintre Eugène Boudin, était de Honfleur. C'était chez Boudin que les jeunes peintres se réunissaient. Eux—Monet, Sisley, Bazille et leurs amis parisiens, Renoir, Pissarro, Cézanne—allaient former ce que l'on appelle aujourd'hui l'Ecole impressionniste. Leurs thèmes préférés étaient les marines ou paysages de mer tels qu'ils les voyaient de la côte normande.

Les plages de Normandie

A l'époque des peintres impressionnistes, une nouvelle façon de voyager, le chemin de fer, était en train de révolutionner la vie des gens. Tout d'un coup, les plages de la Normandie sont devenues très accessibles pour les Parisiens. Deauville et Trouville, en particulier, se sont transformées en stations à la mode.

Depuis ce temps, ces plages sont restées parmi les préférées des Français et des visiteurs étrangers.

Un festival du film américain à Deauville

Deauville attire les vedettes du monde entier. On vient à la plage, on joue au casino, on pratique tous les sports, on circule parmi les gens chic. En septembre, tous les ans, de nombreuses vedettes du cinéma américain se rendent à Deauville. La raison: le Festival du Film Américain—un festival qui présente les plus récents et les meilleurs longs et courts métrages des Etats-Unis.

Les Français sont généralement de grands amateurs de films américains. Toutefois, il y a quelques années, leur ministre de la Culture a dénoncé l'influence du cinéma américain en France. D'après lui, les Français devaient encourager leur propre cinéma plutôt qu'accepter passivement l'invasion culturelle américaine. Cela a fait beaucoup de bruit à l'époque, mais ne semble pas avoir changé sensiblement l'attitude du grand public en France.

Des plages qui évoquent autre chose que les vacances

Pour de nombreux Américains d'un certain âge, la Normandie évoque des souvenirs moins agréables que ceux de vacances ou de plaisirs.

Près de neuf mille Américains sont morts sur les plages de Normandie en juin 1945. Ces plages étaient le site choisi par les Alliés pour le débarquement qui allait mener à « D-Day » et à la défaite définitive des Allemands à la fin de la Seconde Guerre mondiale.

On peut visiter les champs de bataille d'Omaha Beach, une section de la côte normande à laquelle on a donné ce nom de code pendant la guerre.

Rouen

C'est la capitale de la Normandie et sa ville la plus importante avec une population de 320.000 habitants.

Comme ailleurs en Normandie, la ville de Rouen a été en grande partie détruite pendant la Seconde Guerre mondiale. Depuis, les Rouennais ont restauré leurs monuments, reconstruit leur ville et en ont fait une des agglomérations urbaines les plus actives et riches de la France. Ils n'en oublient pas pour autant le passé.

Jeanne d'Arc

Au 15e siècle, les Français et les Anglais étaient perpétuellement en guerre. Vers 1425, presque toute la France était occupée par les troupes anglaises. Pour compliquer les choses, la Bourgogne, qui à l'époque était indépendante, s'était alliée à l'Angleterre contre la France. Dans ces circonstances des plus difficiles, c'est une jeune paysanne du nom de Jeanne d'Arc qui a redonné courage à son peuple.

Très pieuse, Jeanne d'Arc entendait des voix qui lui disaient qu'elle devait délivrer la France des Anglais. A cette fin, elle voulait à tout prix parler au roi Charles VII. Celui-ci était un homme faible, sans autorité ni présence. Il n'osait rien faire pour débarrasser° la France des envahisseurs anglais. Il ne voulait même pas se rendre à Reims, où depuis des siècles les rois de France se faisaient sacrer° roi et assumaient ainsi toute leur autorité.   rid crown

A force de persévérance, Jeanne a réussi à voir Charles. A ce moment, la situation française allait de mal en pis. Jeanne devait persuader le roi de la mettre à la tête d'une petite troupe armée. Enfin, elle est arrivée à le convaincre. Elle est partie pour Orléans et a engagé la lutte contre les Anglais. Avec ses hommes elle a repoussé les Anglais de la ville. Orléans a été sa plus belle victoire. Après cette bataille, l'attitude des Français s'est mise à changer. Même le roi a retrouvé son courage. Il s'est rendu à Reims, où on l'a sacré officiellement roi de France. Cette cérémonie était symbolique, mais elle indiquait que Charles allait dorénavant° faire face à ses responsabilités de chef d'état.   henceforth

Malheureusement, la chance de Jeanne allait tourner après sa victoire à Orléans. Après une défaite à Paris, elle est tombée aux mains des Bourguignons qui l'ont vendue aux Anglais.

Les habitants de Rouen ont plaisir à se promener dans la rue de l'Horloge, une des nombreuses rues piétonnes de la capitale normande.

Les Anglais avaient décidé qu'elle était sorcière. Ils l'ont fait juger et condamner par un tribunal ecclésiastique. Les comptes-rendus de ce procès démontrent qu'elle s'est défendue avec habileté, intelligence et courage. Mais que pouvait faire cette jeune femme face à la mauvaise foi des hommes les plus instruits de son époque? D'ailleurs, ils l'avaient jugée coupable avant même que le procès n'ait commencé. Le tribunal l'a déclarée hérétique et elle a été brûlée° vive le 30 mai 1431 sur la place du Vieux Marché à Rouen.

burned

Le visiteur peut encore se promener sur cette place. Elle a été agrandie depuis, et un marché ultramoderne a remplacé l'ancien; mais on retrouve facilement l'endroit précis où Jeanne est morte.

La mort de Jeanne d'Arc n'a pas porté bonheur aux Anglais. Ses victoires avaient ébranlé° la domination anglaise; et même après sa mort, l'impulsion qu'elle avait donnée aux Français ne s'est pas ralentie. La lutte a continué pendant vingt ans encore; mais vers le milieu du siècle, les Anglais étaient battus et chassés de France.

shaken

Rouen: Quelques attractions

Le monument le plus populaire de la ville de Rouen est le « Gros Horloge ».° C'est une immense horloge située dans une arche d'une rue du Vieux Rouen.

clock

La cathédrale est un autre monument aimé des touristes. De style gothique, construite du 11e au 15e siècles, elle a été sérieusement endommagée pendant la Seconde Guerre mondiale. Elle a été réparée et rénovée depuis.

Le Vieux Rouen a été merveilleusement restauré au cours des dernières années. Se promener dans ses rues fait revivre les siècles passés. De nombreuses rue piétonnes facilitent la visite.

Le Mont-Saint-Michel: Le monument le plus visité de Normandie

La controverse continue depuis des siècles. Le Mont-Saint-Michel, la merveille du monde occidental, se trouve-t-il en Bretagne ou en Normandie? Les guides touristiques ont réglé le problème à leur façon: ils le mettent dans les guides des deux régions.

Il est, en fait, à cheval sur les deux. Il appartient non seulement aux Bretons et aux Normands, mais à toute la France et peut-être au monde entier. Après les attractions de Paris et du palais de Versailles, c'est le monument le plus visité de France.

Mais qu'est-ce que le Mont-Saint-Michel? C'est une abbaye avec son église, son cloître, ses bâtiments, construite sur un promontoire dans la mer. Quand la marée est haute, le Mont-Saint-Michel se trouve entouré d'eau et est coupé de la côte. Quand la marée est basse, il est rattaché à la côte normande (ou bretonne).

L'origine de cette abbaye remonte au 8e siècle. La légende raconte que l'archange Michel est apparu à un évêque et lui a indiqué de fonder une église sur l'île. A partir de ce moment et pendant huit cents ans, on a construit une série d'églises sur ce site, chacune plus imposante que la précédente.

Comme les touristes modernes, les pèlerins° du Moyen Age venaient au Mont-Saint-Michel de partout au monde. A cette époque, comme aujourd'hui d'ailleurs, les petites rues de la ville qui mènent à l'abbaye étaient remplies de boutiques où l'on vendait souvenirs et images de saint Michel. La grande différence d'une époque à l'autre, c'est que le pèlerin du Moyen Age risquait de se noyer° dans la baie qu'il devait traverser pour atteindre l'accès au Mont. L'organisation touristique moderne évite ces catastrophes si fréquentes au Moyen Age.

pilgrims

drown

Des industries modernes pour une région confiante en l'avenir

Les dommages causés au cours de la Seconde Guerre mondiale ont forcé les Normands à reconstruire une bonne partie de leurs villes et à penser en termes modernes. L'histoire de la ville d'Alençon en est un exemple typique.

Alençon est une jolie petite ville dans une région agricole. Elle est connue pour ses fines dentelles depuis le 17e siècle. Aujourd'hui, les machines ont remplacé les doigts des artisanes. Cette industrie est morte peu à peu. Mais, il y a quelques années, une société française de renommée internationale, la société Moulinex, s'est installée dans cette ville.

Aux Etats-Unis, nous connaissons surtout « La Machine » de Moulinex, un robot culinaire qui découpe, hache, râpe° les légumes et autres aliments. En France, Moulinex est un leader de l'industrie électroménagère.

grate

A Alençon, des milliers de personnes travaillent aujourd'hui pour cette société qui a transformé leurs habitudes de travail et leurs vies. Cela montre bien comment les Normands se tournent vers l'avenir.

◼ COMPRÉHENSION

1. Pourquoi la date 1066 est-elle importante historiquement? Quel a été le rôle de Guillaume?

2. Que nous apprend l'illustration à la page 52 concernant la façon de faire la guerre au Moyen Age?
3. Que nous apprend l'illustration à la page 53 concernant la vie quotidienne au Moyen Age (nourriture, habits, coutumes)? Si l'illustration était présentée sans légende, comment pourriez-vous savoir qu'il s'agit de personnages normands?
4. Quels monuments de l'époque de Guillaume le Conquérant existent toujours? Pourquoi cela est-il étonnant?
5. Pourquoi les « verts pâturages » de la Normandie sont-ils une richesse pour cette région?
6. Comment la Normandie a-t-elle influencé les peintres impressionnistes?
7. Etablissez la carte d'identité du peintre Monet. Indiquez son nom, son prénom, sa date et son lieu de naissance, sa profession, ses activités, ses premiers succès.
8. Comment les événements de 1944-1945 ont-ils bouleversé la vie des Normands? Comment ont-ils affecté les Américains?
9. Comparez l'attitude de Jeanne d'Arc à celle du roi Charles VII. Suggérez trois adjectifs pour décrire chaque personnage.
10. Qu'est-ce que le Mont-Saint-Michel? Quelle a été son importance dans le passé? Que représente ce monument aujourd'hui?

▬▬ *QUESTIONS*

1. Quelles différences voyez-vous entre la Bretagne et la Normandie?
2. Si vous alliez en Normandie, que feriez-vous? Quelles attractions voudriez-vous visiter? Que mangeriez-vous?
3. Comment le chemin de fer a-t-il révolutionné les transports au siècle dernier? Quels étaient les moyens de transport avant l'invention du chemin de fer? Au cours de notre siècle, quelles révolutions semblables ont eu lieu? Que prévoit-on pour l'avenir?
4. Quelle invention moderne affecte le plus votre vie?
5. La tradition du jeu est ancienne à Deauville. Aux Etats-Unis, le jeu est légal seulement dans quelques endroits. Lesquels? Est-ce que le jeu devrait être légalisé partout? Quels sont les avantages et les inconvénients du jeu pour une municipalité ou un état?
6. Jeanne d'Arc est la grande héroïne de la France. On voit en elle une héroïne collective: elle est morte pour que son pays triomphe. Qui sont nos héros et héroïnes? Sont-ils des héros collectifs ou individuels?
7. Dans la ville d'Alençon, nous avons l'exemple d'une industrie qui a disparu et qui a été remplacée par une autre. Quelles industries sont menacées de disparition à l'heure actuelle? Pourquoi? Quelles sont les nouvelles industries qui les remplacent? La situation est-elle la même en France qu'aux Etats-Unis?

▄▄ EXERCICES DE LANGUE

1. Trouvez dans ce chapitre les mots qui se rapportent à la guerre ou au combat.
2. Trouvez un synonyme pour *illégitime* dans la section: *Un conquérant qui s'appelait Guillaume.*
3. Trouvez un mot anglais dans le mot *complot.*
4. Monet et ses compagnons impressionnistes étaient les meilleurs amis du monde. Ils s'entendaient *à merveille.* Avec qui vous entendez-vous à merveille? Quel serait le contraire de cette expression? Quand diriez-vous *C'est merveilleux!?* Cette expression peut-elle avoir des sens différents selon l'intonation que vous lui donnez? Regardez les phrases suivantes:
   a. J'ai fait un magnifique voyage en France; c'était merveilleux!
   b. C'est merveilleux! Il a encore insulté les clients.
5. On dit que le Mont-Saint-Michel est *à cheval* entre la Bretagne et la Normandie. Qu'est-ce que cela veut dire?
6. L'expression *long métrage* définit un film assez long. Quel mot est contenu dans le mot *métrage*? Pourquoi utilise-t-on ce terme pour décrire des films?
7. Quelle est la différence entre *moderne* et *ultramoderne*? Donnez des exemples pour illustrer chaque terme.
8. Une *hache* est une arme. Que veut dire le verbe *hacher* tel qu'il a été utilisé dans la dernière section de ce chapitre?

▄▄ DISCUSSION / COMPOSITION

Il y a quelques années en France, un ministre de la Culture, Jack Lang, a dénoncé l'influence du cinéma américain dans son pays. Pourquoi le cinéma américain plaît-il à l'étranger? Est-ce une invasion culturelle? Quel est le dernier film français que vous avez vu? Quels acteurs ou actrices français sont connus aux Etats-Unis? Que pensez-vous du cinéma français?

▄▄ PROJETS

1. Préparez une visite guidée pour la classe au Mont-Saint-Michel en utilisant des photos, diapositives et autres documents. Commencez par indiquer la position géographique du monument. Racontez brièvement son histoire. Indiquez les attractions pour le visiteur.
2. Le camembert est un des fromages français qui se vend le mieux aux Etats-Unis. Faites une petite enquête auprès d'un marchand de fromages dans votre ville. Demandez combien de variétés de fromages français il a en stock, ceux qui se vendent le mieux et les problèmes d'importation de fromages de France.

I maginez une région où sur quelques douzaines de kilomètres vous pouvez voir cent châteaux. Nous voici dans la vallée de la Loire, une région que l'on appelle le « Pays des Châteaux » ou encore le « Jardin de la France ». Depuis des siècles, les poètes chantent ses paysages et sa douceur de vivre.

La Renaissance: L'âge d'or de la vallée de la Loire

C'est à l'époque de la Renaissance, au 16e siècle, que les plus beaux châteaux de la vallée de la Loire ont été construits. Mais déjà avant cette époque les rois et les reines de France faisaient des séjours réguliers dans cette région. Au 15e siècle, Charles VII (voir le chapitre précédent) tenait sa cour à Chinon. Mais, à cause des difficultés en cette période de guerre contre les Anglais, ce n'était pas une cour très luxueuse.

C'est vers la fin du 15e siècle, sous le règne de Charles VIII, que le grand luxe a fait son apparition dans les châteaux de la Loire. Pour le château d'Amboise qu'il adorait, Charles VIII a fait venir des meubles très riches, des centaines de tapis de Perse, de Turquie et de Syrie, des tapisseries des Flandres, une argenterie somptueuse. Une volière contenait des oiseaux rares. On gardait des lions et des sangliers° dans la ménagerie. Les armes et les armures étaient également d'une richesse extraordinaire.

°wild boars

La cour galante de François Ier

Sous François Ier (1515–1547), la vie de château allait se transformer encore.

François est devenu roi à l'âge de vingt ans. Il était grand et fort; il adorait la chasse,° la guerre et l'amour. C'était un jeune roi des plus séduisants et aimé de son peuple.

°hunt

Il avait été élevé par deux femmes, sa mère, Louise de Savoie, et sa sœur, Marguerite de Navarre. Au cours de sa jeunesse, ces femmes avaient encouragé en lui le goût des arts et des lettres.

Pendant son règne, la cour de France est devenue une école d'élégance, de culture et de goût. Les prédécesseurs de François s'étaient entourés de seigneurs-guerriers et de bourgeois. Le jeune roi invitait à sa cour des savants, des poètes et des artistes. Mais ce qui est plus important encore pour l'évolution des mœurs,° c'est que les femmes avaient, à cette cour, une toute nouvelle importance. Auparavant, elles étaient au service de la reine et jouaient un rôle mineur. François les a transformées en reines de sa cour. Il exigeait une grande élégance qui mettait la beauté des dames en valeur. Il voulait aussi qu'elles soient traitées avec courtoisie et respect.

°manners or morals of a people

François Ier adorait les arts, les sports, les fêtes et le luxe. Ses courtisans se ruinaient à l'imiter.

Le château d'Amboise est devenu un tourbillon° de fêtes: bals, tournois, mascarades, noces, combats de bêtes sauvages, visites princières, banquets.

whirlwind

La vie de château sous François Ier

La journée du roi et de son entourage immédiat était à peu près la suivante à Amboise:

Le roi se levait assez tard. Après la messe, il allait à la chasse. La chasse était parmi les divertissements les plus appréciés des nobles. D'ailleurs, s'ils aimaient leurs châteaux de la Loire, c'est qu'il y avait tout autour d'épaisses forêts où abondait le gibier° le plus varié.

game

L'après-midi pouvait se passer en discussions sur les arts, les sciences, la poésie, la lecture. Puis, on repartait à la chasse. Le soir, la

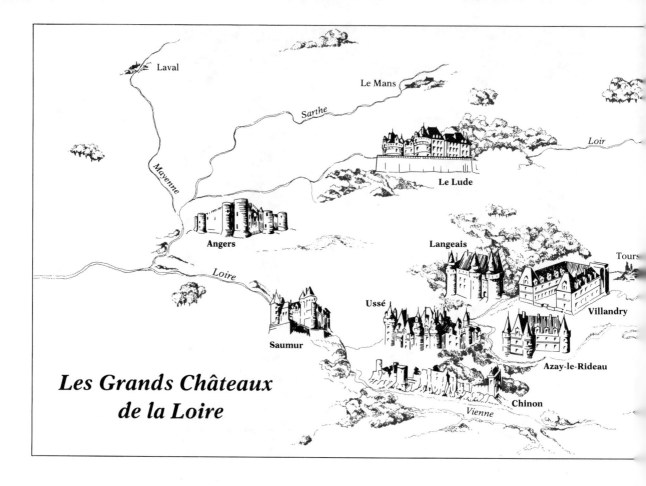

**Les Grands Châteaux
de la Loire**

cour assistait à un concert de musique, un spectacle de danse ou autre
amusement.

Il est difficile aujourd'hui de se faire une idée de la richesse du
costume pour ces occasions. La mode venait d'Italie: couleurs vives,
manches° bouffantes. Le roi portait des vêtements cousus° d'or, et tous   sleeves / sewn
ses objets quotidiens étaient en or ou en argent. Son entourage était
évidemment obligé de suivre son exemple. Ces habitudes luxueuses en
sont venues à coûter très cher au trésor du pays. Aussi un bon nombre
de courtisans se sont-ils ruinés à ces extravagances.

Les sports et les jeux

La chasse était l'activité préférée de François. Mais il adorait aussi tous
les jeux d'armes. A sa cour, on assistait à de nombreux tournois et
combats qui recréaient de vraies batailles.

Le jeu de paume était aussi un des exercices à la mode au 16e siècle.
Ce jeu, ancêtre du tennis, se jouait en frappant une balle contre un mur
avec la paume de la main. Plus tard, on a porté un gant de cuir° et   hide, leather
finalement on a utilisé une raquette.

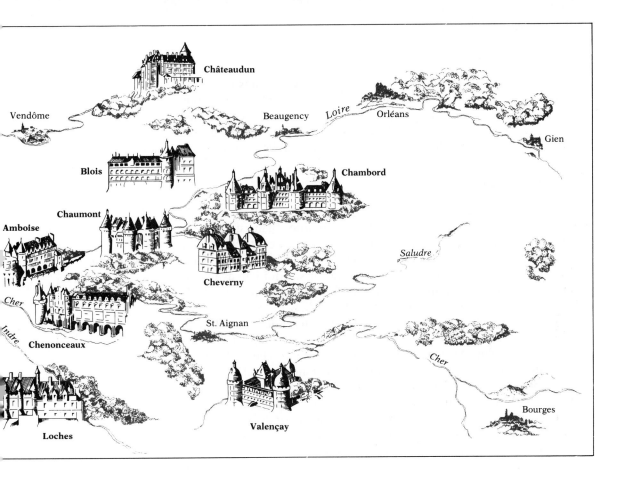

Châteaudun

Vendôme   Beaugency   *Loire*   Orléans

Gien

Blois   Chambord

Chaumont

Amboise

Cher   Cheverny   *Saludre*

Indre   St. Aignan

Chenonceaux   *Cher*

Bourges

Loches   Valençay

L'influence italienne

L'influence de l'Italie à la cour de France ne se manifestait pas seulement par la mode.

Si la cour de François Ier était plus raffinée et plus orientée vers les arts et les lettres que ne l'avaient été celles de ses prédécesseurs, c'était parce que depuis longtemps, les princes italiens s'entouraient d'écrivains et d'artistes. La notion « d'hommes de cour » ou de « courtisans » était une notion italienne. A tel point qu'un écrivain de ce pays, Castiglione, avait rédigé un guide intitulé: *Il Cortigiano, (Le Courtisan)*, qui définissait les règles de conduite des nobles. Ce livre, traduit en plusieurs langues, avait été diffusé dans toute l'Europe grâce à une invention de ce siècle, l'imprimerie.°

printing

L'architecture

Les châteaux du Moyen Age étaient des forteresses construites sur des collines pour résister aux attaques de seigneurs ennemis. A partir du 15e siècle, le château est descendu de la colline; on le trouve dans les vallées, au bord des rivières.

Les châteaux de la Renaissance sont généralement faits de pierres blanches. Le toit est bleu; les fenêtres sont très larges. L'ornementation est italienne, et l'ensemble est gai. Les tours prennent une fonction décorative. Elles disparaîtront d'ailleurs dans la deuxième moitié du 16e siècle. Les fossés° et les donjons sont aussi appelés à disparaître.   °moats

Deux femmes et un château

Le roi Henri II a succédé à François Ier. Quand il est devenu roi en 1547, il a donné le château de Chenonceau à sa favorite, Diane de Poitiers. Diane avait vingt ans de plus que le roi, mais sa beauté était célèbre. Elle était veuve° et portait toujours les couleurs du deuil:° le noir et le blanc.   °widow / °mourning
Elle a fait aussi adopter ces couleurs par le roi sur qui elle avait une influence énorme. Une influence plus grande certainement que celle de la reine, l'épouse de Henri II, Catherine de Médicis.

On peut comprendre que Catherine n'était pas enchantée du ménage à trois qui lui était imposé. Pourtant, elle a fait preuve d'une patience admirable. Mais à la mort d'Henri en 1559, elle a obtenu sa vengeance. Elle savait que Diane adorait son château de Chenonceau. Elle l'a donc forcée à le lui céder, lui donnant en échange le château de Chaumont, beaucoup moins beau que l'autre, évidemment.

Cet épisode de l'histoire de France est évoqué pour des centaines de touristes tous les soirs de la saison d'été dans le spectacle « Son et Lumière »[1] qui se donne dans les jardins de Chenonceau.

Chinon: Souvenir du Moyen Age

La vallée de la Loire est synonyme de la Renaissance en France. Mais cette région, si riche en histoire, a aussi d'importants souvenirs d'une époque antérieure: le Moyen Age.

La ville de Chinon, en particulier, a vécu un épisode marquant de l'histoire de France.

C'est à Chinon que le roi Charles VII avait installé sa cour. Or, nous savons que la France vivait une période noire. Les Anglais contrôlaient la moitié du pays et assiégeaient la ville d'Orléans. S'ils prenaient Orléans, tout le royaume était perdu.

---

[1]**Spectacles Son et Lumière** ''Sound and Light Shows'' are held at frequently visited chateaux, cathedrals, and palaces throughout Europe. After nightfall, visitors attend a recorded program telling of events which occurred at the site centuries ago. Special lights illuminate towers, bridges, portals, and other structures described by the recording. The interplay of lights and voices makes history come alive.

Jeanne d'Arc avait décidé de parler au Roi de France et de lui demander une armée (voir le chapitre 4). Après avoir attendu quelques jours, elle avait réussi à être introduite au palais. Mais le roi, fort peu courageux, comme on le sait, s'était déguisé en courtisan. Un seigneur de sa cour avait revêtu ses habits. Le but était, bien sûr, de confondre Jeanne d'Arc.

Jeanne est entrée dans la grande salle du palais, où trois cents gentilshommes étaient réunis. Parmi eux, s'était caché° le roi. Jeanne   hid
s'est avancée timidement; elle a regardé l'assemblée. A la surprise générale, elle a tout de suite reconnu le vrai roi et est allée vers lui. Elle ne l'avait évidemment jamais vu de sa vie.

C'est après cette rencontre qu'elle a réussi à se faire donner des hommes d'armes et qu'elle est partie pour Orléans.

Chinon est également le pays de François Rabelais, un des auteurs les plus connus de France et le créateur de deux géants qui ont laissé leur nom à la littérature et à l'histoire: Pantagruel et Gargantua.

Les remparts de Chinon nous rappellent l'importance de cette ville au Moyen Age.

La vallée de la Loire aujourd'hui

Les châteaux sont vides aujourd'hui. Leur activité principale est d'accueillir tous les ans environ un million de touristes qui « font » les châteaux de la Loire.

En fait, il y a longtemps que l'âge d'or des châteaux est révolu.° Au 17e siècle, le Roi-Soleil, Louis XIV, est allé quelquefois au château de Chambord. C'est même là qu'un auteur du nom de Molière a fait jouer sa pièce *Le Bourgeois Gentilhomme* pour la première fois.

finished

Mais le 17e siècle avait des goûts plus classiques en architecture. Louis XIV a fait construire le palais de Versailles, et la cour s'est déplacée en Ile-de-France, non loin de Paris.

Les châteaux ont été souvent abandonnés; et lors de la Révolution (1789), on a endommagé sensiblement bon nombre de ces monuments, symboles de la royauté.

Depuis, les grands châteaux ont été restaurés. Presque tous appartiennent à l'Etat, mais quelques-uns, dont Chenonceau, appartiennent encore à des particuliers. Certains des plus petits sont encore habités par leurs propriétaires. Dans d'autres cas, ils ont été transformés en hôtels de luxe.

Un pays typiquement français

Il est difficile de trouver une région plus française que la région de la Touraine. La Touraine est le cœur de la vallée de la Loire. Contrairement aux autres régions, la Touraine n'a pas de caractéristiques particulières. Il n'y a pas de patois° ici, pas de folklore, pas vraiment de plats régionaux. La vie de cour des siècles précédents a laissé ses traces. La vie se déroule calmement, dans un cadre paisible et agréable.

dialect

Tours: Au centre de la couronne royale

Avec près de 300.000 habitants, la ville de Tours est la ville la plus importante de la région. Pourtant, on retrouve ici la même vie calme qui caractérise l'ensemble de la vallée de la Loire. On n'est qu'à deux heures de Paris par l'autoroute, mais on jurerait être à l'autre extrêmité du pays. Le climat est plus doux, mais surtout on est loin de l'agitation et de la frénésie qui caractérisent la capitale. A Tours, le mot clé est la mesure.°

moderation

Depuis de nombreuses années, le maire de Tours, M. Jean Royer, travaille à conserver ce style de vie dans sa municipalité. Il veut des emplois, mais il dit « non » aux gigantesques entreprises qui voudraient s'imposer sur les bords de la Loire.

En revanche, il encourage les artisans. La ville leur offre deux ans de loyer° gratuit s'ils s'installent dans les anciens quartiers.

rent

La ville de Tours, la plus importante de la région, encourage les artisans à s'installer dans sa vieille ville.

Le maire de Tours cherche également à protéger les petits commerces. M. Royer, qui est aussi député à l'Assemblée nationale, a fait voter une loi qui limite dans toute la France le nombre de magasins à grande surface (plus de mille mètres carrés) que l'on peut avoir dans une ville.

Les Tourangeaux

Que font les habitants de Tours? Il y a beaucoup de personnes âgées et d'étudiants dans cette ville. Mais en ce qui concerne la population active, elle est avant tout employée dans le secteur tertiaire, c'est-à-dire, les services, le commerce, les bureaux.

Le premier employeur de la ville est l'Hôpital Régional avec 5.000 personnes. En deuxième lieu vient la municipalité avec 2.500 personnes. Dans la région, il y a de nombreuses petites exploitations agricoles, des entreprises, petites et moyennes, qui s'occupent du bâtiment, de mécanique, de tissus, d'imprimerie, d'électronique.

Honoré de Balzac: Un grand homme de Tours

Auteur de quatre-vingt-dix romans dans lesquels il met en scène plus de deux mille personnages représentatifs de la société de son temps, Honoré de Balzac est incontestablement le héros littéraire de Tours.

Balzac est né à Tours en 1799. Sa ville et la province ont toujours eu pour lui beaucoup de charme. Plusieurs de ses romans ont pour cadre une petite ville. Dans d'autres, un de ses personnages principaux est un jeune homme de province qui cherche à conquérir Paris. Mais la capitale, avec ses ambitieux, ses gens malhonnêtes, et ses pièges° de toutes sortes, est une dure école pour ces jeunes gens.

Balzac excelle dans les descriptions du cadre de vie de ses personnages ainsi que dans la présentation des types humains. On l'appelle parfois le père du roman moderne à cause du réalisme de ses œuvres.

traps

Les vins de Touraine

Les touristes qui visitent la région reviennent généralement enchantés d'avoir découvert les châteaux de la Loire, les intrigues d'un passé glorieux, le charme de la vie, et les vins de Touraine—tout particulièrement le Vouvray, son vin le plus fameux. La devise de Vouvray est: « Je réjouis les cœurs ». Cela pourrait être la devise de toute cette splendide région française.

▬ COMPRÉHENSION

1. Indiquez si les commentaires suivants sont *vrais* ou *faux*.

   a. Les châteaux de la Renaissance ont été construits pour les batailles et les guerres.

   b. Le roi François Ier adorait la chasse et tous les sports.

   c. La Renaissance italienne a beaucoup influencé la France, surtout pour les bonnes manières.

   d. Diane de Poitiers était la femme de Henri II.

   e. La cour de Charles VII était plutôt triste.

   f. Louis XIV a continué la tradition de François Ier et de Henri II.

   g. La ville de Tours voudrait attirer autant de grandes entreprises que possible.

   h. Les personnages de Balzac rencontrent de nombreux obstacles avant de réaliser leurs ambitions.

2. Vous êtes le secrétaire particulier du roi François Ier. Etablissez son agenda pour la journée et la soirée. Précisez les heures, activités, personnes à voir, etc.

3. Regardez la photo du château de Chenonceau à la page 65. Quelles caractéristiques du château vous démontrent qu'il s'agit d'un château de la Renaissance?

▬ QUESTIONS

1. Auriez-vous aimé vivre à la cour de François Ier? Qu'est-ce qui vous aurait plu de cette vie? Qu'est-ce qui vous aurait déplu?

2. Pourquoi, à votre avis, certains châteaux de la Loire ont-ils été transformés en hôtels? Aimeriez-vous descendre dans un de ces hôtels? Pourquoi ou pourquoi pas?

3. Que pensez-vous de la politique du maire de Tours? Quelle est la politique de votre ville (état) concernant l'implantation de nouvelles entreprises? Les encourage-t-on?

4. Y a-t-il des entreprises étrangères dans votre région? Si vous aviez à préparer une publicité en français pour intéresser des entreprises françaises à venir s'installer chez vous, sur quels aspects insisteriez-vous?

5. Connaissez-vous certains romans de Balzac? Y a-t-il d'autres auteurs que vous connaissez qui utilisent des thèmes semblables aux siens dans leurs œuvres?

▬ EXERCICES DE LANGUE

1. Le terme *la vie de château* veut dire une vie très luxueuse. Trouvez trois autres adjectifs dans le texte pour décrire la vie de château.

2. François Rabelais est le créateur de deux géants: Pantagruel et Gargantua. Que veut-on dire si l'on parle d'un repas *gargantuesque*? Décrivez un tel repas. Pouvez-vous donner d'autres exemples où le terme *gargantuesque* pourrait s'appliquer? Dans la section du texte, *Tours: Au centre de la couronne royale,* trouvez un adjectif qui se réfère à *géant.*

3. Dans la ville de Tours, la majorité de la population est employée dans le secteur tertiaire, c'est-à-dire les services, le commerce, les bureaux. Quels seraient, alors, les secteurs primaire et secondaire du monde du travail? Confirmez votre opinion en vérifiant dans un dictionnaire ou une encyclopédie.

4. Quels mots sont contenus dans les mots suivants:

   a. volière
   b. renaissance
   c. courtisan

   Définissez chacun des mots ci-dessus et utilisez-les dans une phrase.

■ DISCUSSION / COMPOSITION

1. Imaginez la conversation entre Diane de Poitiers et Catherine de Médicis quand, après la mort du roi, Catherine a voulu chasser Diane de son château de Chenonceau; ou imaginez la conversation entre Jeanne d'Arc et le roi Charles VII quand elle lui a demandé une armée.

2. Une grande société française, Rhône-Poulenc, veut construire une grosse usine à Tours. Vous êtes maire de Tours; quelle est votre réaction? Ecrivez une lettre au directeur de Rhône-Poulenc pour expliquer votre position.

■ PROJETS

1. Le roi Louis XIV a fait construire le château de Versailles, modèle du style classique. Présentez le château à la classe, en expliquant les différences entre le style renaissance et le style classique.

2. Vous êtes à Paris. Vous voulez visiter les châteaux de la Loire. Que faites-vous? Quels châteaux visitez-vous? Comment vous rendez-vous aux châteaux? Combien de temps accordez-vous à la visite de la vallée de la Loire? Quelle ville choisissez-vous comme centre de votre activité? Un agent de voyages devrait pouvoir vous aider à répondre à ces questions.

Depuis des siècles, la Bourgogne est un carrefour°, un lieu de   crossroad
passage entre les pays du nord et ceux de la Méditerranée. La
Bourgogne a ainsi reçu de multiples influences au cours de son
histoire.

C'est aussi une terre fertile et riche. On dit que c'est la province du
bien manger et du bien boire.

Le centre gastronomique de la France

Dans l'Egypte ancienne, on connaissait déjà la moutarde. Les gens cro-
quaient° des graines de moutarde en mangeant leur viande. Ce sont les   bit
Romains qui ont importé la moutarde en Gaule (l'ancien nom de la
France). Son usage s'est vite développé, et au Moyen Age, la moutarde
est devenue un condiment important.

Dès le 15e siècle, la ville de Dijon était le centre mondial de la
moutarde. Aujourd'hui, Dijon produit plus de dix mille tonnes de
moutarde par an, environ un tiers de toute la production française.

La moutarde est seulement une des spécialités gastronomiques de la
Bourgogne.

Dijon, capitale mondiale de la moutarde, est une ville qui sait adapter les richesses
du passé au confort de la vie moderne.

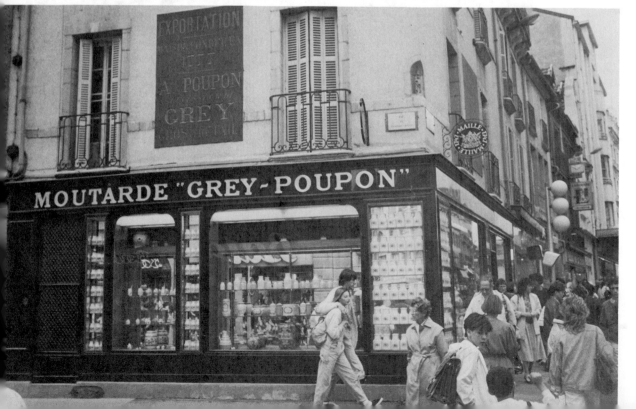

Voilà une spécialité bourguignonne connue partout dans le monde: les escargots servis dans leur coquille avec de l'ail et du persil.

Aimez-vous les escargots? C'est un plat français connu mondialement, mais qui est originaire de la Bourgogne. Les escargots, à la mode de Bourgogne, sont préparés avec du beurre à l'ail et du persil et servis très chauds dans leur coquille.

Ce n'est pas tout. Depuis quelques années, un apéritif bourguignon, le « kir » est à la mode aux Etats-Unis. C'est du vin blanc auquel on ajoute un peu de crème de cassis.° C'est Dijon, encore une fois, qui est le centre mondial de production du cassis. Et c'est un évêque de cette ville qui aurait inventé le « kir ».

red currant

Ceux qui cherchent un plat consistant° adorent le bœuf bourguignon. C'est une spécialité tellement internationale que l'on oublie quelquefois l'origine de cette fricassée de bœuf préparée avec des oignons et du vin rouge.

solid

Le pays des vins

« *Le plus court chemin pour aller au paradis, c'est l'escalier de la cave. Car le vin engendre la bonne humeur, la bonne humeur provoque les bonnes actions, et les bonnes actions conduisent tout droit au paradis.* »

(Paroles d'un Bourguignon)

Les Bourguignons aiment bien manger, mais leur province est aussi la capitale du « bien boire ». Cette région est la deuxième région vinicole de France en ce qui concerne la superficie de terre recouverte de vignes. (La première est la région de Bordeaux).

Deuxième région de France pour le nombre d'hectares° de vignes,

measure of land equal to 2.47 acres

mais les Bourguignons vous diront que leurs vins sont les premiers du monde pour la qualité.

Le vignoble bourguignon commence au sud de Dijon et se termine à Mâcon. C'est là que l'on trouve les grands vins dè Bourgogne. Ils s'appellent: Côtes de Nuits, Côtes de Beaune, Nuits-Saint-Georges, Meursault, Pommard. Ailleurs dans la région, on trouve des vins blancs tels que le chablis.

Il y a, en Bourgogne, des milliers de viticulteurs. Leurs vins sont des vins de qualité, donc généralement des vins chers dont 60 pour cent sont exportés à l'étranger. La Suisse est le principal client. Suivent les Etats-Unis, la Grande-Bretagne et l'Allemagne.

Puisque la Bourgogne exporte une si grande partie de sa production, elle dépend des fluctuations des marchés mondiaux. En période de dépression économique mondiale, les viticulteurs ont plus de difficulté à vendre leurs vins à des prix intéressants. Toutefois, la réputation de ces grands vins contribue à ce qu'ils soient toujours en demande.

Une tradition qui remonte aux Romains

Comme ailleurs en France, ce sont les Romains qui ont introduit la vigne en Bourgogne.

Un siècle avant notre ère, la Gaule était une collection d'environ soixante peuples celtiques. Les Romains ont vite fait de les dominer et d'imposer leurs institutions.

Pourtant, il y a eu de temps à autre des tentatives de révolte. Les soldats romains n'avaient pas trop de mal à briser ces petites révolutions. Mais un jour, les Romains ont eu la vie un peu moins facile.

Un général de vingt ans contre Jules César

Il y avait, en l'an 52 avant Jésus-Christ, un jeune chef, Vercingétorix, roi d'une tribu qui s'appelait les Arvernes. Un jour, Vercingétorix a décidé de lancer en Gaule un mouvement d'indépendance et de faire la guerre contre les Romains.

Pendant neuf mois, les batailles se sont succédé. Et au grand étonnement des Romains, les « barbares » ont gagné d'importantes victoires. La raison de leur succès était simple: Vercingétorix avait réussi à faire ce qu'aucun chef n'avait pu accomplir en Gaule. Il avait uni toute la Gaule derrière lui. Ce jeune homme de vingt ans tenait tête à° la plus puissante armée du monde: l'armée romaine.

resisted

Pendant que les hommes de Vercingétorix reprenaient villes et villages aux Romains, Jules César était occupé ailleurs. Enfin, il a appris ce qui se passait. Il est revenu secrètement en Gaule pour faire face personnellement à Vercingétorix.

La bataille finale a eu lieu à Alésia, un site qui se trouve à environ soixante-dix kilomètres au nord-ouest de Dijon (aujourd'hui appelé Alise-Sainte-Reine). Vercingétorix avait rassemblé ses troupes sur une butte près d'Alésia. Là, les légionnaires de César entouraient les Gaulois et avaient créé un siège que l'armée de Vercingétorix était incapable de briser. Après un certain temps, Vercingétorix fut obligé de se rendre° à   surrender
son ennemi.

Il est passé à l'histoire comme le premier grand héros militaire de son pays.

Note touristique

On peut visiter aujourd'hui le site d'Alésia. Les vestiges d'une ville romaine: théâtre, temple, forum, rues, maisons, sont visibles. Sur le haut de la butte, il y a une statue de Vercingétorix.

L'occupation romaine s'est terminée vers la fin du 4e siècle. A ce moment, une tribu, les Burgondes, est venue s'installer dans la région. C'étaient des gens plus évolués, plus civilisés que les autres barbares. Ce sont eux qui ont laissé leur nom à la Bourgogne.

Peu après, le christianisme a commencé à pénétrer dans cette partie du pays.

Astérix: L'héritier moderne de Vercingétorix

Les exploits de Vercingétorix et le souvenir de l'héritage gaulois ont été à la base de la série Astérix. Cette collection d'aventures en bandes dessinées° a été créée il y a environ vingt-cinq ans. Elle est connue et   comic strips
appréciée de tous les Français et a été traduite en plusieurs langues étrangères.

Les aventures d'Astérix ont lieu en l'an 50 avant Jésus-Christ. A cette époque, toute la Gaule est occupée par les Romains. Toute? Non. Il y a encore un tout petit village qui résiste à l'envahisseur. Il résiste parce que son héros, Astérix, petit guerrier intelligent, est doué° d'une force   gifted
surhumaine. Cette force vient d'une potion magique préparée par le druide, Panoramix.

Les pauvres légionnaires romains qui ont la mission de maintenir la paix sont évidemment les victimes de la force d'Astérix. Et bien sûr, ils ne comprennent rien à ce qui se passe. (Voir l'extrait de la bande dessinée à la page 82.)

L'empire des moines°

monks

A notre époque, il est difficile d'imaginer un empire contrôlé par des moines. Pourtant, c'était le cas au 12e siècle en France.

C'est à Cluny, dans la partie sud de la Bourgogne, que cela a commencé. Un roi, Guillaume le Pieux, a fondé un couvent, et avec lui, un ordre religieux que l'on a appelé l'ordre de Cluny. Ce qui est important dans la fondation de cet ordre, c'est que les religieux avaient une indépendance complète par rapport au roi. L'ordre dépendait directement du Pape, à Rome. Mais la Bourgogne est bien loin de Rome et cela voulait dire que le responsable des moines, l'Abbé, était tout à fait autonome.

Un siècle après sa fondation, l'ordre de Cluny avait 1.450 maisons en France, en Allemagne, en Espagne, en Italie et en Grande-Bretagne.

Ce succès a toutefois provoqué quelques problèmes. Les moines de Cluny qui, au début, suivaient une règle très stricte, ont vite pris goût au luxe et à la belle vie.

Une réaction aux excès de Cluny

Une voix s'est élevée en réaction à ces excès: celle de Bernard de Clairvaux, plus tard connu sous le nom de saint Bernard.

L'empire des moines du Moyen Age n'existe plus, mais la fière architecture de Cluny est un souvenir vivant de cette époque.

Ce fils de famille noble est né au château de Fontaine, près de Dijon. Avec une trentaine de compagnons, il a fondé l'ordre de Cîteaux. Quarante ans plus tard, à la mort de Bernard, Cîteaux comptait sept cents moines et trois cent cinquante abbayes.

Saint Bernard imposait des conditions très dures à ses moines. La nourriture devait être frugale; les moines se levaient entre une et deux heures du matin pour les offices qui prenaient environ sept heures par jour. Le reste de leur temps se partageait entre le travail manuel, le travail intellectuel et les lectures pieuses.

L'héritage des moines: L'art roman

L'art roman est l'art des 11e et 12e siècles. L'époque a été riche en construction d'églises, de couvents et d'abbayes. La Bourgogne garde un très grand nombre de ces souvenirs du passé.

Dijon: La capitale de la Bourgogne

Avec plus de 200.000 habitants, Dijon est la plus grande ville de la Bourgogne. Bien que Dijon soit assez loin de Paris, le T.G.V. (Train à grande vitesse, voir chapitre 1) réduit le temps d'aller à la capitale à seulement une heure et demie. Dijon est aussi la première ville écologique de la France. Pendant des années, le maire de Dijon a été M. Robert Poujade, ancien ministre de l'Environnement. Son but comme maire a été de mettre en priorité la qualité de la vie des habitants de Dijon. Il a accordé une très grande attention à la vie culturelle de la ville et il a multiplié les espaces verts.

Les immeubles historiques de Dijon, l'ancien palais des Ducs de Bourgogne, ses vieilles églises, ont été restaurés. Souvent des services administratifs de la ville ont été relogés dans ces pierres historiques. On trouve, par exemple, les services d'architecture de la ville dans une superbe résidence du 17e siècle. « Dijon est une ville d'art, mais une ville d'art vivant », déclare M. Poujade.

Côté environnement, des rues piétonnes ont été ouvertes. Des centaines de parcs ont été créés, y compris un énorme parc en plein centre de la ville.

A ne pas manquer à Dijon

Le palais des Ducs et des Etats de Bourgogne, merveilleux exemple de l'héritage du Moyen Age, est une des principales attractions de la ville de Dijon. Jusqu'à la fin du 15e siècle, la Bourgogne était un état indépendant de la France. Ses ducs étaient parmi les personnages les plus puissants

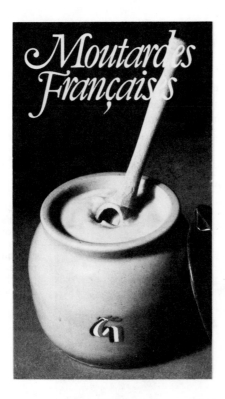

du monde. Ce sont eux qui ont fait de Dijon un centre important. On peut voir de nombreux souvenirs de cette époque somptueuse en visitant le palais des Ducs dans le centre-ville.

Le tourisme sur les canaux de Bourgogne

Aujourd'hui c'est un groupe de personnes du troisième âge° qui voyagent à bord de l'*Aster*. Demain, un groupe d'étudiants en architecture à l'université de Dijon s'établiront à leur tour sur le pont de cette péniche.° Depuis une quinzaine d'années, les bateaux de location comme l'*Aster* font découvrir aux visiteurs locaux ou étrangers mille petits trésors de la Bourgogne.

 Les péniches descendent le canal du Nivernais. A l'origine, ce canal servait à transporter le bois de la région du Morvan vers la capitale. Graduellement, la navigation commerciale a abandonné ces canaux. Mais aujourd'hui, les excursions en péniche sont devenues la grande mode.

senior citizens

canal boat

Certaines sont très simples. On se promène tranquillement pendant une journée. D'autres, destinées aux touristes, peuvent être plus complexes. Dans certains cas, on s'arrête à un endroit. De là, le visiteur se promène sur terre, cette fois à bicyclette. Le soir, il reprend le bateau, qui continue son excursion jusqu'au prochain arrêt.

D'autres péniches sont de véritables hôtels flottants. On y sert des repas gastronomiques; des orchestres font danser les passagers, et les excursions sur terre se font, non pas à bicyclette, mais en autocars climatisés.

La Bourgogne, avec son réseau° de cours d'eau, se prête particulièrement bien aux voyages en péniches.

network

Cherchez-vous une facon agréable de passer un moment, loin des bruits de la ville? Alors, pourquoi ne pas faire une excursion en péniche sur les canaux de Bourgogne!

L'enfant romantique de la Bourgogne: Alphonse de Lamartine

C'est à Mâcon que l'un des grands poètes romantiques français, Alphonse de Lamartine, est né en 1790.

Mâcon est une jolie petite ville dans la partie sud de la Bourgogne. Le paysage ici ressemble déjà plus à ceux des pays de la Méditerranée. Les toits des maisons sont recouverts de tuile° romaine. Une rivière, la   tile
Saône, traverse la ville. Tout autour sur les collines, s'étale le vignoble.

La solitude, le rêve, la tristesse, voilà quelques-uns des thèmes du grand poète romantique du 19e siècle, Alphonse de Lamartine.

C'est dans ce décor que Lamartine a grandi, lisant les œuvres de Jean-Jacques Rousseau et de Châteaubriand. A l'âge de vingt-six ans, il a ressenti un grand amour pour une jeune femme, Mme Charles. C'est cet amour qui a décidé de sa vocation de poète. Quelques années plus tard, il a publié *Les Méditations*, un livre qui représente le début d'une brillante carrière littéraire. Plus tard, il a eu une carrière politique également brillante.

La poésie de Lamartine dans *Les Méditations* réunit toutes les caractéristiques de la poésie romantique. Elle est lyrique et spontanée. Les thèmes sont la mort, la solitude, l'inquiétude.

La ville de Mâcon garde de nombreux souvenirs du poète. Le touriste peut visiter sa maison natale, ainsi que la maison où il a habité jeune homme et où il a composé ses premiers vers.

Des traditions qui vivent toujours:
La Bourgogne moderne

Province carrefour, la Bourgogne est riche des souvenirs du passé. Pourtant, elle s'adapte particulièrement bien à la vie moderne.

Même dans les moments de crise économique, elle semble résister mieux que d'autres régions de France aux difficultés. Les Bourguignons croient que c'est parce qu'ils ont su garder un bon équilibre entre le monde rural et le monde urbain. C'est aussi grâce à la diversité des industries et à cause de la prédominance des petites et moyennes entreprises.

C'est peut-être aussi parce que les Bourguignons n'oublient pas l'art du bien manger et du bien boire.

▄▄▄ COMPRÉHENSION

1. Etablissez le menu d'un repas en utilisant les spécialités bourguignonnes mentionnées dans ce chapitre.
2. En quelle année Vercingétorix est-il né?
3. Qui est Astérix? De quelle nationalité est-il? Quels adjectifs le décrivent? Qu'est-ce que cette bande dessinée représente pour les Français?
4. Contrastez l'ordre de Cîteaux et celui de Cluny (fondateur, nombre de maisons, nombre de moines, règle, contribution).
5. Quelles caractéristiques font de Dijon une ville agréable? Aimeriez-vous habiter cette ville? Pourquoi ou pourquoi pas?
6. Etablissez l'horaire de l'*Aster* pour une journée. Définissez l'heure du départ, le nom du groupe, le nombre de personnes, l'emploi du temps pour la journée.
7. Quels facteurs contribuent à la prospérité de la Bourgogne?

▄▄▄ QUESTIONS

1. Si vous étiez importateur de vins aux Etats-Unis, pourquoi est-ce que cela vous serait utile de parler français?
2. Pourquoi le vin est-il particulièrement affecté par les périodes de dépression économique?
3. Quels produits importés avez-vous régulièrement chez vous? Pourquoi?
4. *Astérix* s'inspire de l'histoire de la France. Quelles bandes dessinées aux Etats-Unis se basent sur l'histoire de notre pays? Quelle image du passé donne-t-on dans les deux cas?

5. Est-ce qu'il y a encore, de nos jours, des empires contrôlés par des moines? Si oui, comment diffèrent-ils de ceux de Cluny et de Cîteaux?

6. Expliquez le commentaire du maire de Dijon: « Dijon est une ville d'art, mais une ville d'art vivant ». Donnez des exemples d'art vivant.

▬ *EXERCICES DE LANGUE*

1. Alphonse de Lamartine est un grand poète romantique. Voici un de ses poèmes intitulés *L'Automne*. On y trouve toutes les caractéristiques de la poésie romantique: le lyrisme, les thèmes de la solitude, de l'inquiétude et de la mort. Lisez d'abord ce poème, puis répondez aux questions qui le suivent:

> Salut, bois couronnés d'un reste de verdure,
> Feuillages jaunissants sur les gazons épars.
> Salut, derniers beaux jours! Le deuil de la nature
> Convient à la douleur et plaît à mes regards.
>
> Je suis d'un pas rêveur le sentier solitaire;
> J'aime à revoir encor, pour la dernière fois,
> Ce soleil pâlissant, dont la faible lumière
> Perce à peine à mes pieds, l'obscurité des bois.
>
> Oui, dans ces jours d'automne où la nature expire,
> A ses regards voilés je trouve plus d'attraits;
> C'est l'adieu d'un ami, c'est le dernier sourire
> Des lèvres que la mort va fermer pour jamais.

a. Dans le premier vers, trouvez une forme de salutation.

b. Trouvez une autre forme de salutation dans la dernière strophe.

c. Qui parle? Comment le savez-vous?

d. A qui parle-t-il au début? A la fin?

e. Trouvez les termes qui indiquent des couleurs. Quelle sorte de couleurs sont-elles?

f. Trouvez des termes qui indiquent la mort. De quelle mort s'agit-il?

g. Quel rapport pouvez-vous faire entre la nature et la personne qui parle?

h. Faites une liste des mots de ce poème qui vous semblent représentatifs de la poésie romantique telle qu'elle est décrite ci-dessus.

i. Aimez-vous ce poème? Pourquoi, ou pourquoi pas?

2. Trouvez les mots qui se rapportent au vin dans ce chapitre. Faites une phrase avec chacun.

■ *DISCUSSION / COMPOSITION*

Un soldat romain doit expliquer à Jules César qui est Vercingétorix et ce qui se passe en Gaule en l'absence de César. Imaginez leur conversation: les explications du soldat et la réaction de Jules César.

■ *PROJETS*

1. Renseignez-vous auprès de 3 marchands de vins de votre région concernant les vins de Bourgogne qu'ils ont en stock. Demandez-leur lesquels sont le plus en demande, le prix moyen d'une bouteille, le niveau de vente par rapport aux vins d'autres régions françaises ou de vins provenant d'autres pays étrangers.

2. Faites un sondage auprès de 5 adultes de votre connaissance. Etablissez leur nationalité, leur âge, la région du pays d'où ils viennent, leur niveau d'études. Posez-leur les questions suivantes:
   1. Buvez-vous du vin?
      a. tous les jours
      b. quelques fois par semaine
      c. rarement
      d. jamais

      Si la réponse est a, b ou c, continuez.
   2. Préférez-vous le vin
      a. blanc
      b. rouge
   3. Achetez-vous du vin
      a. français
      b. californien
      c. autres (lesquels?)
   4. Avez-vous un stock de vin chez vous?
      a. 1–12 bouteilles
      b. 13–50 bouteilles
      c. 51–100 bouteilles
      d. plus de 100 bouteilles
   5. Quel prix vous semble raisonnable pour une bouteille de vin?
      a. moins de $3.00
      b. $3.00–$5.00
      c. $5.00–$8.00
      d. plus de $8.00
   6. Parmi les vins suivants, lesquels connaissez-vous?

a. Vouvray	d. Chablis
b. Pommard	e. Meursault
c. Nuits-St.-Georges	f. Côte de Beaune

      Communiquez les résultats de votre sondage à la classe.

Le présent et le passé de l'Alsace sont dominés par la proximité du Rhin, l'un des plus longs fleuves de l'Europe.

Le Rhin a toujours été une voie commerciale par excellence. Aujourd'hui, plus de 30.000 bateaux circulent chaque année sur le fleuve, transportant des tonnes de marchandises. Le long du Rhin se sont développées les industries textiles de l'Alsace. Plus tard, on a canalisé le Rhin pour faciliter l'accès des bateaux. A ce moment, se sont installés des usines hydroélectriques, des zones industrielles, des réacteurs nucléaires.

Enfin, c'est le Rhin qui a prescrit l'histoire de l'Alsace. Car juste de l'autre côté du fleuve se trouve l'Allemagne. L'Alsace a été française pendant certaines périodes de son histoire, et à d'autres moments, elle a été allemande. Elle incarne aujourd'hui encore une fusion d'influences latines et germaniques.

Ses villes et villages portent le plus souvent des noms à consonance allemande: Strasbourg, Mulhouse, Riquewihr, Colmar. Les Alsaciens, entre eux, ont gardé un dialecte particulier d'origine germanique.

Des Allemands, ils ont gardé aussi le sérieux et le sens du travail.

Chaque année, plus de trente mille bateaux circulent sur le Rhin, ce grand fleuve qui donne à l'Alsace un accès aux marchés européens.

Un passé difficile

Allemande pendant des siècles, c'est sous Louis XIV, au 17e siècle, que l'Alsace est devenue française. A l'époque, le concept de nation n'était pas très développé, et le roi de France cherchait des points stratégiques de défense contre l'Empire germanique. Il a donc annexé l'Alsace. Plus tard, à la suite de la Guerre Franco-allemande, l'Alsace est redevenue allemande de 1871 à 1918 et française à partir de cette date. Au cours de la Seconde Guerre mondiale, l'Alsace a été de nouveau un champ de bataille et de 1940 à 1944, elle était sous contrôle allemand. A la fin de la guerre, l'Alsace est redevenue française.

La Dernière Classe

Le déchirement° de cette province-frontière a été souvent un thème de la littérature française. Alphonse Daudet, auteur de contes, de romans et de pièces de théâtre, a participé à la Guerre Franco-allemande (1870–1871). Après la guerre, il a écrit un livre de contes patriotiques tirés de ses expériences de guerre: *Les Contes du lundi.*

    Un de ces contes, *La Dernière Classe*, raconte l'histoire d'un petit Alsacien qui est en route pour l'école. Il perd son temps, trouve tous les prétextes pour arriver en retard. S'il le pouvait, il n'irait pas à l'école du tout. Pourtant, cette journée-là allait être complètement différente des autres. Ecoutons-le:

    « Ce matin-là, j'étais très en retard pour aller à l'école et j'avais grand'peur d'être grondé,° d'autant que M. Hamel nous avait dit qu'il nous interrogerait sur les participes et je n'en savais pas le premier mot. Un moment l'idée me vint de manquer la classe et de prendre ma course à travers champs.

    Le temps était si chaud, si clair!

    (...)

    En passant devant la mairie, je vis qu'il y avait du monde arrêté près du petit grillage aux affiches. Depuis deux ans, c'est de là que nous sont venues toutes les mauvaises nouvelles, les batailles perdues, les réquisitions, les ordres de la commandature; et je pensai sans m'arrêter:

    « Qu'est-ce qu'il y a encore? »

    (Franz arrive à l'école. Au lieu de le gronder, M. Hamel le traite avec douceur et lui dit d'aller à sa place. Puis le professeur parle aux enfants:)

    « Mes enfants, c'est la dernière fois que je vous fais la classe. L'ordre est venu de Berlin de ne plus enseigner que l'allemand dans les écoles de l'Alsace et de la Lorraine... Le nouveau maître arrive demain. Aujourd'hui c'est votre dernière leçon de français. Je vous prie d'être bien attentifs. »

tearing (apart)

scolded

(Pour la première fois, les enfants ont vraiment l'impression de comprendre la grammaire et les difficultés de la langue.)

On fit la classe jusqu'au bout.

« Tout à coup, l'horloge de l'église sonna midi. Puis l'angélus.[1] Au même moment, les trompettes des Prussiens qui revenaient de l'exercice éclatèrent sous nos fenêtres... M. Hamel se leva, tout pâle, dans sa chaire. Jamais il ne m'avait paru si grand.

« Mes amis, dit-il, je... je... »

Mais quelque chose l'étouffait.° Il ne pouvait pas achever sa phrase.   choked

Alors il se tourna vers le tableau, prit un morceau de craie, et, en appuyant de toutes ses forces, il écrivit aussi gros qu'il put:

« *Vive la France!* »

Puis il resta là, la tête appuyée au mur, et, sans parler, avec sa main il nous faisait signe:

« C'est fini... Allez-vous-en. »

Un passé qui marque le présent

Si la proximité du Rhin a déterminé l'histoire de l'Alsace, d'autres facteurs géographiques ont aussi affecté son passé. A l'est, il y a le Rhin. A l'ouest, l'Alsace est bordée de hautes montagnes, les Vosges. Ces deux frontières naturelles ont fait que l'Alsace est restée plus indépendante, moins ouverte aux influences du reste de la France. Pour cette raison, les coutumes, les traditions alsaciennes sont particulièrement riches.

Un petit mouvement autonomiste

Ce n'est rien si on le compare au mouvement autonomiste breton ou corse, mais un mouvement autonomiste existe en Alsace. Il ne mobilise pas beaucoup de monde. Son existence est toutefois un rappel de l'histoire souvent difficile de cette région.

La presse

La presse française est organisée de façon très différente de la presse américaine. Les journaux les plus importants sont les journaux nationaux: *Le Monde, Le Figaro, France-Soir* en particulier. Ces publications parisiennes sont distribuées dans tout le pays. Mais chaque région a aussi sa presse locale: quotidienne et hebdomadaire.° La presse régio-   weekly nale alsacienne est parmi les plus actives de toute la France. Près de 400.000 de ces journaux sont achetés chaque jour dans cette région sur une population totale de 600.000 Alsaciens.

---

[1] **l'angélus** Latin prayer sung or recited in the morning, at noon, and in the evening.

L'ALSACE

DANS CE JOURNAL

TIERCE **Spéciale courses**

SAMEDI 24 MAI 1987   115/8079 - 42° année   ★ ●●●●●   PRIX: 4,20 F

Rotlicht im Aussenhandel

Am Morgen noch bewölkt mit einigen Regenschauern, dann aufheiternd und sonnig.

Les Dernières Nouvelles d'Alsace, le journal le plus important de la région, a un tirage de 230.000 exemplaires. *L'Alsace* tire à 135.000 exemplaires par jour.

Depuis longtemps, ces deux journaux ont des éditions bilingues, français-allemand. Il y a encore, en Alsace, des gens pour qui l'allemand est de loin la première langue. Après la Seconde Guerre mondiale, pour encourager le retour au français, le gouvernement a précisé que même

Un paysage typique de l'Alsace: le village de Riquewihr entouré des vignobles qui produisent les excellents vins de la région.

les éditions en langue allemande devaient utiliser seulement le français pour la publicité et pour les pages sportives.

Aujourd'hui, on demande moins souvent les journaux bilingues. Le français est redevenu la langue de la grande majorité des Alsaciens.

Des traditions gastronomiques

On mange bien en Alsace. Tous les visiteurs sont d'accord sur ce point. La grande spécialité gourmande de la région, c'est la choucroute.°   sauerkraut

Dès que vous approchez du village de Krautergersheim, vous reconnaissez l'odeur caractéristique du chou. Et vous en voyez à perte de vue. A l'usine, les choux sont coupés en fines lamelles et placés dans d'énormes cuves° où on les sale.° On les laisse ensuite fermenter pendant   vats, tanks / salt
trois ou quatre semaines. Puis la choucroute est prête à être consommée.

La choucroute garnie alsacienne se sert avec des pommes de terre et de la charcuterie—saucisses et jambon, par exemple. Pour accompagner la choucroute, on sert souvent de la bière du pays. Car la bière alsacienne a la réputation d'être parmi les meilleures au monde.

Les vins

On reconnaît les vins d'Alsace à leur bouteille à long col, élégante et raffinée.

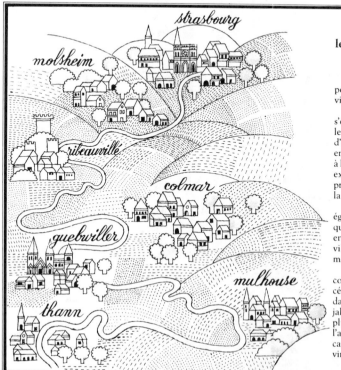

Promenade à travers le vignoble d'Alsace.

Il faut suivre "la route du vin" pour connaître tous les aspects du vignoble alsacien :
12 000 hectares de vignes qui s'échelonnent au pied des Vosges sur les collines qui dominent la plaine d'Alsace, un climat semi-continental ensoleillé particulièrement favorable à la maturation du raisin et une extrême variété de terroirs qui produisent avec un égal bonheur toute la gamme des vins d'Alsace.

En suivant la route du vin, c'est également l'âme du vignoble d'Alsace que l'on découvre, avec ses paysages enchanteurs, ses pittoresques petits villages fleuris et ses charmantes maisons à colombages.

Et pour faire réellement connaissance avec les différents cépages d'Alsace, il faut savoir s'arrêter dans les caveaux de dégustation qui jalonnent "la route du vin" : rien de plus agréable que la fraîcheur et l'atmosphère particulière de la vieille cave d'un vigneron pour déguster un vin d'Alsace.

Château fort

L'autre particularité des vins alsaciens, c'est que contrairement aux autres vins français, ils portent le nom du cépage, c'est-à-dire du genre de vigne dont ils proviennent. Six des vins alsaciens sont des vins blancs: le riesling, le sylvaner, le gewürztraminer, le muscat d'Alsace, le pinot blanc, le pinot gris. L'un est un vin rosé: le pinot noir ou rosé d'Alsace.

A l'assaut des châteaux forts

Pour les touristes, l'Alsace a créé toute une série d'itinéraires intéressants: la route des vins, bien sûr; la route des crêtes° qui permet aux visiteurs d'apprécier l'extraordinaire beauté des Vosges; la route fleurie qui vous mène dans la plaine alsacienne et dans les forêts au bord du Rhin. Vous ne voudrez pas manquer non plus un autre itinéraire alsacien: la route des châteaux forts.

crests, ridges

L'Alsace possède une douzaine de châteaux construits du 11e au 15e siècle. Au Moyen Age, ils étaient d'imposantes forteresses. Puisque les seigneurs se faisaient constamment la guerre, le château fort devait permettre de bien se défendre contre l'ennemi qui attaquait. Il fallait aussi qu'à l'intérieur, la population puisse subsister lors des sièges qui pouvaient durer des mois.

A partir du 15e siècle et surtout au 16e, le royaume de France a commencé à vivre de façon beaucoup plus paisible. Les châteaux forts ont été abandonnés, détruits, transformés ou remplacés par des châteaux conçus par des artistes.

Calme, harmonie,
propreté — voilà
l'impression générale
que le visiteur a de
Strasbourg.

L'Alsace: Au cœur de l'Europe

La situation géographique de l'Alsace a influencé son passé. Elle influence aussi son présent. A l'époque moderne, il est relativement facile de traverser une chaîne de montagnes. D'autre part, la France et l'Allemagne ne sont plus ennemies, mais bien au contraire, partenaires à part égale dans la Communauté économique européenne, le Marché commun.

Le grand axe fluvial du Rhin permet un accès aux marchés européens: la Suisse, l'Allemagne et au-delà. Ceci augmente considérablement l'importance commerciale de l'Alsace.

Strasbourg: Ville européenne

Ville principale du Bas-Rhin, Strasbourg, avec plus de 250.000 habitants, a toujours été une ville un peu spéciale. Au Moyen Age, elle bénéficiait d'une charte de ville libre, ce qui lui donnait toute indépendance d'organisation et d'administration.

Au 20e siècle, Strasbourg est devenue une ville d'institutions européennes. C'est ici que se trouve le palais de l'Europe, siège du Conseil de l'Europe et du Parlement européen. Un peu plus loin, se trouvent les bâtiments de la cour européenne des Droits de l'Homme. Il y a aussi, à Strasbourg, le Centre Européen de la Jeunesse et de nombreuses autres institutions européennes.

Strasbourg, Bruxelles (en Belgique) et Genève (en Suisse) sont rivales pour le titre de « Capitale de l'Europe ».

Strasbourg et Mulhouse

Tout le monde en France vous le dira: Strasbourg est une belle ville; Mulhouse est laide. Les habitants de ces deux grandes villes alsaciennes sont convaincus de cette théorie. Ce sont généralement les premiers mots qu'ils vous disent en parlant de ces villes. Les Strasbourgeois sont fiers de leur ville. A Mulhouse, on s'en excuse presque.

L'histoire des deux villes explique cette attitude. Mulhouse est un produit de l'industrie. Jusqu'à récemment, les patrons des filatures (industrie textile) administraient la ville. Cette industrie a déterminé sa croissance° et son orientation.   growth

Strasbourg est une ville marchande, bourgeoise et intellectuelle. Mulhouse est austère, grise et peu accueillante.° Les tentatives de   friendly
rénover ou de « renouveler » la ville n'ont pas donné de très bons résultats. L'impression que l'on en retire est celle d'une ville divisée, faite de pièces et de morceaux. Des ensembles de style contemporain s'élèvent çà et là sans harmonie. « Depuis bientôt deux siècles, on a sans cesse fait passer en priorité des vues purement utilitaires au détriment de l'aspect architectural de notre cité, » déclare un responsable de Mulhouse.

A Strasbourg, au contraire, existe une longue tradition d'urbanisme. Au Moyen Age, déjà, pour éviter les incendies, on obligeait les constructeurs à mettre des murs pare-feu° entre les maisons.   fire wall

Au centre de la vieille ville de Strasbourg, des ruelles et zones piétonnes animées donnent du charme à la ville. Depuis quelques années, la ville est partie à la conquête de son centre. Les maisons à pans de bois° (colombages)° ont été soigneusement restaurées partout dans la   timber framing / half-timbering
ville.

Il en résulte une impression de propreté, de calme et d'harmonie de styles.

Un village qui s'est transformé en attraction touristique

Obermorschwiller était un petit village qui n'avait rien de spécial. Il y avait de vieilles maisons alsaciennes, bien sûr. Mais sans hôtel, sans restaurant, sans musée, comment même penser attirer les touristes?

Obermorschwiller mourait tout doucement. Les jeunes partaient pour les usines de Mulhouse ou pour la Suisse. Certaines maisons tombaient en ruine. Le village devenait sale et mal entretenu.

Seuls les spéculateurs s'intéressaient à Obermorschwiller. Ils se disaient qu'à vingt minutes de Mulhouse, le prix des terrains ne manquerait pas un jour de monter en flèche.

Puis un jour, en 1977, un nouvel administrateur a pris contrôle du village. Il s'appelait Gérard Knecth. Son but: rendre le village de ses ancêtres plus accueillant. Comment y arriver? Il a fait appel à un groupe de jeunes qui, depuis quelques années, travaillaient à la restauration de villages alsaciens. Une cinquantaine de jeunes de l'association « Les Maisons Paysannes d'Alsace » se sont mis à l'œuvre. Avec l'aide des villageois qui se sont réveillés, ils ont commencé à restaurer le village. Une vieille maison a été transformée en hôtel populaire.

Les habitants du lieu ont redécouvert des traditions oubliées. Les ménagères, par exemple, ont inventé un gâteau en l'honneur de saint Sébastien, le patron du village. Et les touristes sont revenus, enchantés d'avoir sur leur route un si pittoresque petit village.

L'Alsace aujourd'hui et demain

Région industrielle et prospère, l'Alsace se sent bien dans la famille européenne et a confiance en l'avenir. Ses problèmes sont typiques de ce genre de région. L'industrie entraîne le progrès, c'est vrai. Mais le progrès et le passé, l'industrie et l'environnement ne font pas toujours bon ménage.

En Alsace, les mouvements écologiques sont présents. Et pour cause. Au bord du Rhin canalisé, se sont installées des douzaines d'usines. Autour, il a fallu créer des logements pour accueillir les travailleurs et construire routes et autoroutes. C'est la forêt des bords du Rhin qui a cédé au progrès. En effet, depuis la Seconde Guerre mondiale, presque la moitié de cette forêt a disparu. La pollution du fleuve et des cours d'eau adjacents a augmenté de façon dramatique.

Dès 1973, certains Alsaciens ont créé un mouvement politique « Ecologie et Survie » dont les candidats se présentent à toutes les élections. Il s'agit du premier mouvement de ce genre en Europe.

Pour faire revenir les cigognes°

storks

Depuis des siècles, la cigogne avait choisi l'Alsace comme lieu préféré. Tous les ans, à une date précise, elle revenait faire son nid dans cette région. Mais le progrès avait chassé l'oiseau symbole de la fertilité. Les cigognes ne venaient plus ou presque plus en Alsace.

Il y a sûrement eu d'autres faits qui ont éveillé la sensibilité écologique des Alsaciens. Mais de nombreuses associations se sont formées pour la préservation de l'environnement. Toute la presse alsacienne, d'ailleurs, ouvre largement ses colonnes aux préoccupations écologiques.

Rien n'est plus troublant à ce niveau que la présence de trois centrales nucléaires dans la région. A la suite de nombreuses manifestations, les autorités locales ont obtenu le droit d'être informées de toutes les activités des centrales et de leurs conséquences éventuelles.

Aujourd'hui, les cigognes sont revenues. On aperçoit leurs nids perchés sur les clochers d'églises ou sur les tours des villes et des villages. Leur retour est symbolique, mais il illustre la conscience qu'ont les Alsaciens de leur environnement et leur confiance en l'avenir.

Les cigognes! Cherchez le point le plus haut de la ville: le clocher de l'église ou la tour du château et vous apercevrez probablement un nid de cigognes.

■ *COMPRÉHENSION*

1. Avec les dates que vous trouvez dans la section *Un passé difficile*, faites un plan montrant quand l'Alsace a été allemande et quand elle a été française.
2. Dans le texte *La Dernière Classe*, trouvez les références à l'Allemagne et aux Allemands.
3. Quand M. Hamel dit: « Mes amis... », à qui parle-t-il? Pourquoi les appelle-t-il ses amis?
4. Vous êtes Franz, le petit Alsacien du conte. Racontez à vos parents comment s'est passée votre dernière classe de français. Que disent vos parents?
5. Vous êtes M. Hamel, le maître de français. Expliquez votre réaction quand on vous dit que le lendemain, vous serez remplacé par un professeur allemand.
6. Pourquoi l'Alsace a-t-elle des journaux bilingues? Pourquoi cette demande diminue-t-elle aujourd'hui?
7. La publicité *Promenade à travers le vignoble d'Alsace*, à la page 96, donne deux recommandations. Lesquelles? Comment feriez-vous cette promenade? A pied? Comment le savez-vous? En regardant l'illustration, que savez-vous du paysage alsacien? Comparez les villes de Strasbourg et de Ribeauvillé du point de vue de leur situation géographique, leur taille, leur architecture, les monuments à visiter. Que vend cette publicité: un produit? une image? A qui s'adresse-t-elle?
8. Comparez Strasbourg et Mulhouse en utilisant les renseignements de la publicité à la page 96 et les renseignements donnés dans ce chapitre. Choisissez trois adjectifs pour décrire l'aspect général de Strasbourg et de Mulhouse. Comparez les villes au niveau de leurs institutions, de leurs industries, de leurs attractions touristiques.
9. Quelle a été l'influence du Rhin dans l'histoire de l'Alsace?

■ *QUESTIONS*

1. Pourquoi dans les journaux alsaciens d'après la guerre, le gouvernement français a-t-il exigé que les publicités et les pages sportives soient écrites en français?
2. Quels journaux lisez-vous? Que lisez-vous d'abord? Quelles publicités consultez-vous?
3. En quoi la situation de l'Alsace diffère-t-elle de celle des autres régions françaises que vous connaissez?
4. Comment expliquez-vous la création des mouvements écologiques en Alsace?
5. Où en sont les mouvements écologiques dans votre région?

6. Quels facteurs contribuent à donner à l'Alsace une ouverture sur l'Europe?

■■ EXERCICES DE LANGUE

1. Trouvez, dans ce chapitre, les termes qui se rapportent au commerce et à l'industrie.
2. La cigogne est symbole de fertilité. Quels autres symboles de fertilité connaissez-vous? Quels autres animaux, oiseaux ou insectes représentent des symboles? Lesquels?
3. Expliquez l'expression: « Mulhouse est un produit de l'industrie »? Que veut dire cette expression dans la phrase suivante: « L'enfant est un produit de son environnement »? Trouvez d'autres sens au mot *produit*.
4. Quels mots sont compris dans les mots suivants:
   a. mairie   c. paisible
   b. fleurie   d. villageois

   Faites des phrases avec ces mots.
5. Dans la publicité *Promenade à travers le vignoble d'Alsace*, quels sont les mots qui se rapportent au vin? Quels sont les mots qui se rapportent à d'autres attractions touristiques?
6. Dans la section sur le village d'Obermorschwiller, on dit que les « villageois se sont réveillés ». Dormaient-ils? Pourquoi utilise-t-on cette expression? Faites deux phrases en utilisant le verbe *réveiller* ou *se réveiller* dans deux sens différents.

■■ DISCUSSION / COMPOSITION

1. Vous êtes le chef du parti écologiste alsacien. Expliquez vos préoccupations à un collègue américain.
2. Vous voulez créer un itinéraire touristique pour votre région. En suivant le modèle donné pour le vignoble alsacien à la page 96, quelle route allez-vous suggérer? Définissez les éléments que vous souhaitez mettre en valeur. Composez votre texte et illustrez-le à l'aide d'un dessin ou de photos.

■■ PROJETS

1. Apportez une recette de choucroute alsacienne à la classe.
2. Trouvez le conte *La Dernière Classe* et lisez-le en entier. Faites-en un compte-rendu à la classe.

Le Pays Basque possède une particularité que n'a aucune autre région de France. Il est divisé en deux par une frontière. D'un côté les Basques sont français. De l'autre, ils sont espagnols. Mais avant tout, les Basques tiennent à leur définition propre: ils sont basques et fiers de l'être.

Du côté français, le seul dont nous allons parler ici, leur pays se trouve entre la mer et la montagne: l'Atlantique et les Pyrénées. Cela a fait des Basques des marins et des bergers.°   shepherds

Un peuple d'explorateurs malgré eux

Pendant des siècles, les Basques étaient un peuple de pasteurs° qui ne   shepherds
s'intéressaient pas vraiment à la mer. Vers la fin du Moyen Age, cependant, ces pasteurs ont découvert la mer et ont commencé à quitter leurs côtes. La légende veut que ce soit les Normands qui aient appris aux Basques à construire des bateaux. Cela est possible, car les Normands, dont les ancêtres étaient les Vikings et qui ont toujours été de grands marins, descendaient régulièrement jusqu'à la Côte basque.

Quoi qu'il en soit, un beau jour certains bergers se sont transformés en pêcheurs timides. Bientôt ils chassaient les baleines° dans le golfe de   whales
Biscaye.

Peu à peu, les baleines se sont éloignées des côtes, et il fallait les poursuivre au large. Les marins basques, sans instruments de navigation, allaient de plus en plus loin. Tellement loin qu'ils traversaient l'océan jusqu'à des terres inconnues. Leur seul but: la pêche. Ils n'avaient, semble-t-il, aucun souci° d'explorer et encore moins d'an-   care, interest
nexer de nouveaux mondes.

Un jour, le Génois Christophe Colomb, écoutant le récit d'un marin basque, a eu l'idée d'une nouvelle route des Indes. Quelques années plus tard, mais cent ans après les marins basques, il se rendait en Amérique. Son pilote était un Basque qui s'appelait Lacotza.

Les Basques et l'Amérique

Le mouvement des Basques vers l'Amérique a continué au cours des siècles. Vers les années 1850, toutefois, ce mouvement s'est intensifié. L'industrialisation de l'Europe tuait les métiers artisanaux, et de nombreux Basques se sont trouvés très affectés par ce changement. Les Basques sont avant tout des gens réalistes. Encore une fois, ils ont quitté leurs côtes.

De véritables colonies basques se sont formées dans l'Ouest américain, notamment en Californie et au Nevada. Au début, la grande majorité de ces Basques travaillaient comme bergers. Aujourd'hui, quelques-uns exercent toujours ce métier solitaire, mais les autres se sont intégrés à la vie américaine contemporaine.

Dans l'Ouest américain, les traditions basques se portent bien. Ici, un joueur de pelote de l'équipe de San Francisco.

Ils gardent généralement de fortes attaches à leur héritage et à leurs traditions. Il y a encore de nombreux clubs et associations de Basques à Los Angeles, San Francisco et Chico en Californie.

De tous les Français aux Etats-Unis, les Basques sont ceux qui sont restés les plus unis. Ils ont gardé leurs danses folkloriques et leur musique et prennent part à toutes les manifestations françaises de l'Ouest américain, ajoutant ainsi une note de couleur typique.

Euskara: Une langue qui existe depuis 25.000 ans

Si les Basques sont restés unis en France et à l'étranger, leur langue y est certainement pour quelque chose.

L'origine de la langue des Basques, l'euskara, est un mystère que personne n'a encore pu éclaircir. C'est une langue qui ne ressemble à rien de connu. Elle ne ressemble surtout pas au français ni à l'espagnol. Tour à tour les spécialistes ont essayé de l'apparenter à l'hébreu, au japonais, à l'arabe et même à des langues africaines. Toujours sans succès. Mais, ce que les experts ont découvert, c'est que le basque est probablement la langue la plus ancienne qui se parle dans le monde aujourd'hui.

Des études faites à l'aide d'ordinateurs ont révélé que le basque est parlé par un très petit groupe depuis peut-être 20.000 à 25.000 ans. (Le français n'a pas mille ans.)

C'est une langue qui a résisté à la latinisation, à la francisation et à l'hispanisation qui ont eu lieu tout autour des Basques.

La Côte basque

On pourrait penser que ce peuple de marins et de pêcheurs possède une côte très vaste. En fait le contraire est vrai. La Côte basque fait une trentaine de kilomètres, pas plus. Ses deux industries principales sont le tourisme et la pêche.

Biarritz, la perle de la Côte basque

Pendant des siècles, Biarritz était un petit port où l'on pêchait la baleine. Dans les années 1850, c'était l'endroit où une jeune fille de l'aristocratie espagnole, Eugénie de Montijo, passait ses vacances. En 1853, cette

Il y a cent ans, Biarritz était un petit port de pêche. Aujourd'hui, c'est un rendez-vous pour les vacanciers français et étrangers.

La place Louis XIV de Saint-Jean-de-Luz porte le nom de son touriste le plus célèbre.

même jeune femme devenait impératrice des Français en épousant Napoléon III, neveu de Napoléon Bonaparte.

Biarritz plaisait à l'empereur, et leurs majestés royales y ont fait construire une résidence de vacances baptisée « Villa Eugénie ». Aujourd'hui, cette résidence a été transformée en hôtel de luxe: l'Hôtel du Palais.

Napoléon III et Eugénie recevaient à Biarritz tous les souverains de l'époque: la reine Isabelle du Portugal, le roi des Belges, la reine Victoria d'Angleterre et bien d'autres.

Biarritz est devenu le lieu préféré de toute la noblesse européenne. De petit port de pêche, la ville s'est transformée en ville royale avec de grandes avenues portant les noms de ses visiteurs les plus illustres: la reine Victoria, Edouard VII, la reine Nathalie de Serbie et d'autres.

Saint-Jean-de-Luz

Le petit village de Saint-Jean-de-Luz est peut-être l'escale préférée du touriste. Imaginez un port de pêche trop étroit pour tous les bateaux multicolores qui viennent s'y ranger. C'est une vie intense, bruyante et agitée.

Ajoutez une pittoresque ville ancienne avec ses maisons et églises qui remontent au 13e siècle.

Le touriste le plus important.   Saint-Jean-de-Luz se rappelle avec fierté que c'est ici que le roi Louis XIV est venu épouser Marie-Thérèse d'Autriche. Cet événement a bouleversé cette petite ville de pêcheurs. Pour honorer ce souvenir, on a rebaptisé la place centrale de la ville « place Louis-XIV », et la maison où il a logé s'appelle maintenant le « château » de Louis XIV.

L'industrie de la pêche

De la fin mars à la mi-juin, les pêcheurs quittent le port de Saint-Jean-de-Luz toutes les nuits. Ils font de cinq à six heures de route pour pêcher l'anchois.° On utilise des filets dans lesquels, quand la pêche est bonne, on remonte trois cents à quatre cents kilos de poissons à la fois. De retour au port on débarque les poissons dans des conteneurs de mille kilos chacun, qui sont amenés au quai par une grue.°   anchovy

    crane

L'été, de la mi-juin jusqu'à la fin octobre, c'est le thon qui devient le but de la pêche. Les pêcheurs restent en mer de trois à quinze jours et reviennent avec à peu près cinq tonnes de poissons. L'hiver, de nombreux pêcheurs luziens partent en direction des côtes africaines où la pêche au thon se pratique toute l'année. Les pêcheurs livrent leur poisson à Dakar au Sénégal, où il est mis en conserve et de là réexpédié en France.

Une industrie traditionnelle menacée

Le métier de pêcheur est parmi les métiers les plus durs. En plus des difficultés inévitables du métier: fatigue, longues absences de chez soi, saisons inégales, les pêcheurs basques d'aujourd'hui doivent faire face à d'autres menaces.

D'une part, la flottille espagnole de pêche est en concurrence avec les bateaux français. A ce problème, il faut ajouter celui des bateaux pirates qui viennent eux aussi d'Espagne, et qui créent une sérieuse concurrence aux Basques.

D'autre part, la pêche est une industrie qui a du mal à se renouveler. L'âge moyen des pêcheurs basques dépasse quarante-cinq ans. Les jeunes sont peu attirés par ce dur métier et préfèrent aller tenter leur chance dans les grandes villes: Toulouse, Bordeaux, et bien sûr, Paris.

Il y a, enfin, un problème de pollution des eaux. A Saint-Jean-de-Luz, à cause des courants qui viennent du golfe de Biscaye, l'eau est encore propre. Mais dans le port de la ville voisine, Bayonne, l'eau est très polluée. Le test est facile pour les pêcheurs. On garde l'anchois vivant pour la pêche au thon dans des viviers.° A Bayonne,   fish-tanks
l'anchois meurt en dix minutes.

Bayonne

C'est depuis des siècles le centre industriel du Pays Basque. Au Moyen Age, Bayonne était une grande cité maritime et corsaire. Plus tard, après la découverte du Nouveau Monde, c'est dans le port de Bayonne que l'on débarquait les épices et le chocolat. Ce dernier, d'ailleurs, est resté une spécialité locale.

Des remparts et une importante citadelle protégeaient la ville et ont empêché tour à tour les Espagnols et les Anglais de la conquérir.

Aujourd'hui, l'industrie pétrochimique et celles de l'acier et du soufre utilisent Bayonne comme port d'exportation.

Bayonne possède une belle cathédrale gothique et un intéressant musée basque qui retrace l'histoire, les traditions, le folklore, les jeux, les métiers, les costumes du peuple basque, y compris ceux des Basques partis en Amérique.

La citadelle de Bayonne

Au 17e siècle, l'architecte militaire de plus grand renom en Europe s'appelait Vauban. Il était responsable de la défense des villes de France. Son système de fortifications est devenu classique. Le plan de la citadelle de Bayonne est tout à fait dans cette tradition.

Citadelle de Vauban

Fêtes et jeux basques

Tous les ans, en août, ont lieu à Bayonne de grandes fêtes. Comme en Espagne, on organise ici des courses de vaches, dans les rues et des corridas (combats de taureaux) portugaises et classiques. Dans la corrida portugaise, on ne tue pas le taureau dans l'arène, tandis que c'est la coutume dans la corrida classique.

La pelote: Le jeu national

A Bayonne et dans toutes les villes et tous les villages basques, la partie de pelote est l'une des activités les plus importantes. On dit même que le « fronton »—le mur contre lequel on joue à la pelote basque—est aussi important que l'église du village.

La pelote est une petite balle très dure. Il y a plusieurs versions du jeu de pelote. Mais, en règle générale, le jeu consiste à projeter une pelote contre un mur auquel les joueurs font face.

Les joueurs, les « pelotari », sont vêtus de blanc et portent une ceinture de couleur. Les plus appréciés, les « vrais héros » sont les joueurs qui jouent à main nue. D'autres joueurs portent un gant de cuir. Une autre version de la pelote basque se joue avec une « chistera »—une sorte de panier° à forme allongée. C'est ce que l'on appelle « jai alai » en Amérique. Enfin, dans certains cas, on utilise une « pala » ou palette de bois. basket

Quelle que soit la version, la pelote au Pays Basque est le véritable sport national avec ses tournois, ses rivalités et ses héros.

Les Basques de France et d'Espagne

Le Pays Basque traverse la frontière franco-espagnole. Du côté espagnol, les Basques sont depuis longtemps beaucoup plus politisés et radicaux que leurs frères en France. En Espagne, on se bat pour l'indépendance de la nation basque. Les autorités espagnoles ont essayé de réprimer ces mouvements politiques avec force. Il n'est pas rare qu'un activiste basque d'Espagne se réfugie de l'autre côté de la frontière.

Pendant de longues années, ces Basques espagnols trouvaient asile en France. Le gouvernement français n'encourageait pas leurs activités, mais ne les extradait pas non plus. Depuis 1984, cette situation a changé. A cette époque, les actes de violence de la part des militants basques se sont multipliés. A la suite d'actes terroristes qui ont tué trois policiers espagnols, les militants basques se sont, encore une fois, réfugiés en France. Cette fois-ci, le gouvernement français a décidé d'extrader les fugitifs, mettant fin à une politique vieille de quarante ans.

Les Basques du côté français, pour leur part, n'épousent pas les mêmes causes radicales que les Basques espagnols. Dans l'ensemble ils ne s'associent pas au mouvement indépendantiste.

L'Espagne et le Marché commun

Le Pays Basque est une région pauvre qui dépend de la pêche, de l'élevage des moutons et de l'agriculture. Pour bon nombre de Basques, l'Espagne, surtout ses régions prospères du nord, semble l'endroit privilégié où trouver du travail. Avec l'Espagne membre de la Communauté économique européenne (le Marché commun), les ouvriers français peuvent maintenant traverser quotidiennement la frontière comme le font en Alsace ceux qui travaillent en Allemagne mais rentrent tous les soirs dans leur pays. Cette solution semble souvent préférable à l'exode vers les grandes villes françaises et l'abandon total du Pays Basque.

■■■ *COMPRÉHENSION*

Indiquez *vrai* ou *faux* pour les commentaires suivants:
1. Les Basques sont descendants des Normands.
2. A l'origine, les Basques étaient des pêcheurs de baleine.
3. C'est vers le milieu du siècle dernier que les Basques sont venus en grand nombre en Amérique.
4. L'euskara est le sport national basque.
5. Le français est une langue plus récente que le basque.
6. C'est une jeune Espagnole qui a mis Biarritz à la mode.
7. Le roi Louis XIV a exigé que son nom soit donné à la place centrale de Saint-Jean-de-Luz.
8. On pêche le thon et l'anchois à la même saison.
9. Les jeunes Basques quittent souvent leur pays.
10. L'architecte Vauban a fait une importante contribution à la ville de Bayonne.
11. La France et l'Espagne ont les mêmes problèmes de terrorisme basque.
12. Les Basques sont heureux que l'Espagne fasse maintenant partie du Marché commun.

■■■ *QUESTIONS*

1. Pourquoi les jeunes Basques ne veulent-ils plus être pêcheurs? Ce métier vous intéresse-t-il? Quels en sont les avantages et les inconvénients?

2. Grâce à l'ordinateur, on sait que le basque est une langue très ancienne. Comment l'ordinateur peut-il donner ce genre de renseignements? Pour quelles activités utilisez-vous un ordinateur?

3. Quelles affinités les Basques ont-ils avec les Espagnols, selon les renseignements de ce chapitre?

4. Quel est le sport national américain? canadien? Pouvez-vous décrire le but et les règlements de chacun?

5. Que pensez-vous des combats de taureaux? Pourquoi ne sont-ils pas autorisés aux Etats-Unis?

6. Si vous passiez quelques jours dans la ville de Bayonne, que visiteriez-vous? Etablissez votre emploi du temps pendant deux ou trois jours. Voudriez-vous voir autre chose que Bayonne au Pays Basque? Quoi et pourquoi?

■■ EXERCICES DE LANGUE

1. Pourquoi dit-on que les Normands *descendaient* jusqu'à la côte basque?

2. Le pilote de Christophe Colomb était un Basque. Qu'est-ce qu'il pilotait? Y a-t-il d'autres sortes de *pilotes*? Qu'est-ce qu'un *pilote automatique*? Si une université annonce un *programme pilote*, qu'est-ce que cela veut dire?

3. Pourquoi dit-on que le métier de berger est un métier *solitaire*? Quels autres métiers sont des métiers solitaires? Quels métiers seraient le contraire? Comment les appeleriez-vous?

4. Quels mots sont contenus dans les mots suivants:

   a. éclaircir
   b. francisation
   c. hispanisation
   d. élevage

   Faites des phrases avec ces mots.

5. Qu'est-ce qu'un *bateau pirate*? Est-ce la même chose qu'un *bateau de pirates*?

■■ DISCUSSION / COMPOSITION

Vous êtes Eugénie de Montijo. Vous passez vos vacances à Biarritz et vous allez écrire une lettre à votre fiancé, Louis Napoléon Bonaparte. Parlez-lui du Pays Basque en général et de ce port de Biarritz que vous aimez. Invitez-le à venir voir cet endroit. Indiquez comment vous pourriez transformer cet endroit, qui vous pourriez inviter.

PROJETS

1. Trouvez les règlements pour jouer à la pelote basque et expliquez ce sport à la classe.
2. Ecrivez au Centre Culturel Basque de San Francisco et demandez-lui le programme de ses activités. L'adresse est: Centre Culturel Basque, 599 Railroad Avenue, South San Francisco, CA 94080. Présentez ce programme à la classe.

En Provence, nous sommes vraiment en terre de contrastes. Nice et la Côte d'Azur font de cette belle côte l'endroit le plus touristique d'Europe. Marseille, avec son port d'importance mondiale, ses industries de pointe, est l'un des grands centres industriels de la Méditerranée.

Le Midi, comme on appelle cette région du sud de la France, est un pays de champs de fleurs qui mettent un parfum dans l'air et qui sont la matière première des plus prestigieux parfumeurs du monde. Les visiteurs découvrent des ruines romaines, de pittoresques villages de gitans° et des châteaux du Moyen Age dont les murs retiennent l'écho des chants des troubadours.   gypsies

Mais la Provence est plus qu'une attraction touristique. C'est un pays de traditions, de folklore, de sites pittoresques, mais c'est aussi la porte de l'Europe pour les pays d'Afrique du Nord et du Proche- et Moyen-Orient.

La Côte: Symbole d'évasion°   escape

Depuis toujours, la Côte d'Azur est pour les Français et les visiteurs étrangers un symbole d'évasion. Un grand nombre de Français choisissent de passer leurs vacances sur la Côte d'Azur. Pour les étrangers, le mythe de la Riviera française existe depuis des siècles.

Six millions de touristes viennent ici tous les ans dépenser plus de cinq milliards° de francs. Environ 100.000 personnes ont des emplois plus ou moins directement liés à l'industrie touristique. Le chiffre d'affaires° de cette industrie dans le Sud de la France (y compris la Corse) représente plus de 8 pour cent du P.N.B. (Produit National Brut) français.   billion   total revenue

Le chiffre d'affaires du tourisme dans cette région est supérieur à celui de l'industrie automobile française.

Nice au cœur de la région

Les vacances commencent généralement à Nice, la capitale de la Côte d'Azur. On dit de Nice qu'elle est en robe de soleil, tellement elle semble lumineuse.

Nice est, certes, un paradis touristique, mais c'est aussi avec 400.000 habitants la quatrième ville de France. Sa proximité des Alpes et de la Méditerranée en fait une ville carrefour.

Des navigateurs grecs y ont créé une base commerciale six cents ans avant notre ère. Ce sont eux qui ont donné son nom à la ville: Nikaia.

Plus tard, les Romains sont venus. Après la chute de l'Empire romain, Nice a été annexée à divers comtés et duchés: notamment la

Provence et la Savoie. C'est seulement en 1860 qu'elle a été rattachée à la France. Son passé explique peut-être pourquoi les habitants maintiennent une certaine indépendance d'esprit et d'action face à Paris.

Des traditions niçoises: Le Carnaval et les batailles de fleurs

Dès la fin du printemps, tous les ans, on annonce le thème du Carnaval de l'année suivante. Les « carnavaliers », c'est-à-dire ceux qui travaillent à la construction des chars° et à la conception des « grosses têtes », personnages caricaturaux qui font partie du défilé,° commencent leurs préparatifs. floats
parade

    Ils ont beaucoup à faire. Le char du Roi Carnaval, par exemple, nécessite 4.000 heures de travail, une tonne de papier, 250 kilos de farine° (colle°), 90 mètres de tissu, 20 kilos de clous et de peinture. Une vingtaine de chars presque aussi élaborés et environ 500 grosses têtes participent au défilé carnavalesque. Portée par un homme qui se glisse à l'intérieur, la « grosse tête » pèse une vingtaine de kilos. Elle doit amuser ou effrayer, selon les circonstances et le thème du Carnaval. flour / glue

Impossible d'imaginer le Carnaval de Nice sans les « Grosses Têtes »! Mais aimeriez-vous porter cette immense structure pendant un défilé de plusieurs heures?

Toute la ville est décorée pour le Carnaval, qui dure trois semaines et qui commence généralement en février ou début mars.

Les batailles de fleurs

C'est une coutume typiquement niçoise. Des batailles de confetti (petits bonbons) et de projectiles divers: cigares, violettes, œufs pourris,° petits légumes, boules de plâtre° font partie des festivités carnavalesques depuis longtemps. Ces batailles pouvaient avoir des conséquences dangereuses. Il était conseillé de se protéger le visage avec des masques en tissu métallique.

rotten

plaster

Les gens raffinés et les galants ne se battaient pas de façon aussi vulgaire: ils préféraient se lancer des fleurs. Aujourd'hui, ces « batailles » de fleurs se sont transformées en défilés de chars couverts de fleurs. Pour chaque char, on découpe les pétales de dix mille fleurs pour les coller sur les motifs. Des milliers de fleurs fraîches complètent la décoration. De jolies jeunes femmes lancent des fleurs au public qui regarde passer le défilé.

Une de ces « batailles » a lieu pendant le Carnaval. Mais au cours de l'année, cinq ou six autres « batailles de fleurs » sont organisées à Nice, pour recevoir des invités de marque ou pour fêter une occasion spéciale.

Les fleurs sont aussi une industrie

En Provence, les fleurs ne servent pas uniquement à la décoration ou aux fêtes. Les fleurs et les huiles° aromatiques que l'on en extrait se situent au premier rang des produits d'exportation de la Côte d'Azur.

oils

Le centre de cette industrie se trouve à Grasse, une ville moyenne dans les collines derrière Nice. Cette ville est la « capitale mondiale de la parfumerie ».

Le pays fournit du jasmin, des roses, des fleurs d'oranger, des jonquilles, du mimosa, des violettes, de la lavande et une multitude d'autres fleurs et arbustes.°

bushes, shrubs

Certaines matières premières: des essences ou des huiles sont importées et travaillées dans les laboratoires de Grasse. Il y a une trentaine d'entreprises ici, certaines avec des laboratoires de recherche, où l'on met au point les formules des grands parfums. Les derniers parfums Dior sont nés dans cette région; Yves Saint-Laurent, Rochas, Guerlain utilisent eux aussi les services de ces entreprises.

Cependant, parfumerie, cosmétique, savonnerie ne composent qu'une partie du marché aromatique. Les parfumeurs grassois élargissent leurs activités selon les besoins de la consommation. Ils travaillent avec les fabricants de détergents, d'insecticides, de produits industriels et alimentaires divers.

Ce marché est en expansion grâce à la demande croissante de produits d'hygiène et de toilette. Il bénéficie aussi de la hausse du niveau de

Dans le Midi de la France, les fleurs sont une industrie. Presque tous les grands parfums du monde naissent dans un laboratoire semblable à celui-ci.

vie° des pays en voie de développement. Ce progrès leur permet de porter intérêt à des produits qui ne sont pas de première nécessité.

    L'industrie française de matières premières aromatiques occupe une place éminente dans la production mondiale.

standard of living

Un carrefour technologique et scientifique

En 1975, deux établissements à orientation technologique se sont installés dans le parc international d'activités de Valbonne-Sophia Antipolis. Aujourd'hui, environ soixante-quinze sociétés françaises et étrangères y sont installées ou sont en train de le faire.

    Le parc international de Valbonne-Sophia Antipolis est un immense parc industriel qui accueille des entreprises scientifiques, généralement de haute technologie, telles que Dow Chemical France, Digital Equipment, Air France, IBM, Texas Instruments, Thomson CSF et autres.

    Le développement de ce parc a provoqué une petite révolution au pays du soleil. Situé à dix minutes de l'aéroport de Nice, cet ensemble ne comprend pas uniquement des usines et des bureaux. C'est un projet qui intègre logements, services, culture, loisirs et espaces verts.

    Sa création amène de nombreux ingénieurs, cadres° et autres travailleurs étrangers dans la région de Nice. Mais ce qui est plus important, il crée des milliers d'emplois sur la Côte d'Azur.

executives

Cannes et son festival du film

Ils viennent de partout au monde: producteurs, metteurs en scène, artistes, stars, tous les ans au mois de mai. Le rendez-vous mondial du cinéma, c'est Cannes. Un jury international visionne des films inscrits au

Grand port commercial, Marseille est aussi un port de pêche. Heureusement, la gastronomie locale en dépend!

concours. On décerne des Palmes d'Or pour récompenser le meilleur film, les meilleurs interprètes° et les meilleures réalisations.° Dans le monde du cinéma international, ces Palmes d'Or sont aussi importantes que le sont les « Oscars » pour le cinéma américain.

actors / productions

Marseille: Au rythme des affaires et du soleil

Grande métropole du sud de la France et capitale de la région Provence/Côte d'Azur, Marseille est la deuxième ville de France et son premier port. C'est une ville bruyante et animée de plus d'un million d'habitants et un centre touristique, agricole et industriel de première importance.

Les Grecs qui, en l'an 600 avant notre ère, sont venus sur la côte ont vite fait de Massilia (l'ancien nom de Marseille) leur capitale et une ville prospère. Quelques siècles plus tard, quand les Romains ont pris le contrôle de la région, ceux-ci ont choisi une autre ville provençale, Aix-en-Provence, pour y établir leur capitale.

Commerçants actifs, les Grecs ont fixé à jamais la vocation commerciale et industrielle de Marseille.

Puisque la Provence est la première région agricole de France pour sa production de fruits et de légumes, de riz, d'amandes, de miel, sans oublier le raisin et les olives, les industries agro-alimentaires se regroupent autour de Marseille. C'est ici que l'on trouve les conserveries, les confiseries, les caves de vinification, les distilleries.

Et ce qui est encore plus important, la position géographique de la ville en fait aujourd'hui le port qui reçoit le pétrole d'Afrique du Nord et du Moyen-Orient.

Pour cette raison tout un réseau d'industries lourdes, aciéries, installations pétrochimiques, construction aéronautique, s'est implanté dans la région marseillaise.

Cette activité industrielle et commerciale fait de Marseille un pôle d'attraction pour les travailleurs français et étrangers. Sa population est d'ailleurs en croissance constante depuis très longtemps avec un taux d'accroissement annuel de 1,5 pour cent. L'immigration représente les trois quarts de cet accroissement.

En dépit de ses activités industrielles, Marseille demeure une ville intéressante pour le visiteur. Son site, la proximité des plages, ses vestiges gréco-romains, ses marchés en plein air et sa population chaleureuse à l'accent chantant du Midi en font une ville touristique par excellence.

Les santons: Une tradition qui s'exporte

Le mot « santon » vient du mot provençal, « santoun », qui veut dire « petit saint ». Mais les santons ne sont pas toujours des personnages religieux. Ce sont de petites figurines en argile° peinte représentant les   clay

Ces petites figurines — rois mages, animaux de la ferme, personnages des villages anciens — sont les santons de Provence qui décorent les crèches de Noël.

habitants d'un village provençal du siècle dernier et que l'on retrouve autour de la crèche de Noël.

Traditionnellement, les différents métiers et les diverses personnalités du village sont représentés: les pêcheurs, la boulangère, même l'idiot du village que l'on appelle aussi le « ravi ». Aucun notable n'est présent. C'est sous Napoléon que la coutume des santons a commencé à se développer, mais même aujourd'hui, les costumes sont restés ce qu'ils étaient au début du 19e siècle.

Les santons sont un élément folklorique des plus charmants. Ils sont aussi une grosse industrie. Tous les ans, au mois de décembre, une énorme foire aux santons se tient à Marseille. Les santonniers exportent aussi environ 30 pour cent de leur production vers les Etats-Unis, la Belgique, la Suisse, l'Allemagne et le Canada.

Face à une concurrence croissante, un santonnier provençal a eu une idée pour renouveler le marché des santons. Il a créé des santons comestibles° en pâte d'amande. Parmi les pays qui s'intéressent le plus à ce produit: les Etats-Unis.

edible

Monaco: Un joyau° de la Côte

jewel

Toute la Côte d'Azur n'est pas française. Une toute petite principauté indépendante, l'état de Monaco, existe au centre de la Riviera française.

C'est un des plus petits états du monde puisqu'il fait moins de deux kilomètres carrés. Mais le célèbre casino de Monte Carlo, les boutiques élégantes, les personnalités du monde entier, l'ont transformé en une des stations touristiques les plus célèbres du monde.

Le Grand Prix de Monaco

La Côte d'Azur est aussi le paradis des sportifs. Football, basket, rugby, handball, volleyball, tennis, natation, boxe, athlétisme: tous les sports ont leurs équipes, leurs champions et leurs publics.

L'événement sportif qui attire les plus grosses foules, c'est le Grand Prix de Monaco. Chaque année, au printemps, Monaco se transforme en arène au bord de la mer. Cent mille spectateurs accourent—un chiffre extraordinaire quand on pense que la population totale de la principauté est de 25.000 habitants. Ils viennent de partout, une bonne moitié de très loin, assister à cette course automobile. Le Grand Prix de Monaco détient le record de la Côte d'Azur de recettes° et du nombre de spectateurs pour une activité sportive.

gate earnings

Le Prince Rainier III est persuadé de l'importance des grandes manifestations sportives à Monaco, où la seule vraie richesse est le tourisme.

Les artistes sous le ciel de Provence

Pendant l'été 1946, le peintre Pablo Picasso a travaillé dans un atelier°   studio
mis à sa disposition au château Grimaldi à Antibes, une petite ville sur la
côte entre Nice et Cannes. A son départ, le peintre a laissé la plupart de
ses œuvres pour établir un musée qui porterait son nom. Ainsi le
château Grimaldi, bâti plus de sept siècles auparavant, est devenu le
musée Picasso.

    Picasso n'est pas le seul peintre qui a choisi de faire de longs séjours
ou de vivre en permanence en Provence. Parmi les plus illustres, il faut
mentionner Vincent Van Gogh.

    Né aux Pays-Bas,° Van Gogh s'est d'abord installé à Paris. Mais au   The Netherlands
bout d'un an dans la capitale, il rêvait d'un endroit calme et ensoleillé.
C'est à Arles qu'il s'est fixé. Les couleurs du Midi l'ont inspiré, et on les
retrouve dans bon nombre de ses tableaux.

    A Cagnes-sur-Mer se trouve le musée Renoir, ou la maison de
Renoir. C'est là que le peintre impressionniste a passé les douze
dernières années de sa vie. Sa maison a depuis été transformée en
musée, mais tout y est demeuré comme au temps du maître.

    A Nice, le musée Marc Chagall contient environ 450 œuvres de
l'artiste inspirées par la Bible: mosaïques, sculptures, vitraux, tapisseries, pastels et autres.

Gastronomie locale

L'ail est l'ingrédient essentiel de la cuisine provençale. Mais l'huile
d'olive est aussi à la base de tout. Un proverbe de la région dit: « Le poisson vit dans l'eau et meurt dans l'huile d'olive. »

    La bouillabaisse. Cette célèbre soupe de poissons et de fruits de
mer est le mieux connu des plats provençaux. Une bonne bouillabaisse
comprend au moins trois poissons et des crustacés. Le tout est cuit dans
de l'eau ou du vin blanc et relevé d'ail (bien sûr), d'oignon, de tomate,
de safran ainsi que d'autres herbes et épices.

    L'aïoli. Comme l'indique le nom, cette autre grande spécialité du
Midi est à base d'ail. Il s'agit d'une mayonnaise à l'huile d'olive, à
laquelle on ajoute une forte dose d'ail pilé. Le grand poète provençal,
Frédéric Mistral, disait que comparée à l'aïoli, la mayonnaise habituelle
lui faisait penser à de la marmelade.

    La salade niçoise. Qui ne connaît la salade niçoise? Souvent la
version américaine ne ressemble pas beaucoup à l'originale. La vraie

salade niçoise se compose de tomates, concombres, fèves° fraîches, ar- | beans
tichauts crus du pays, poivrons° verts, oignons frais, basilic, ail, œufs | peppers
durs, anchois, olives noires, sel et poivre. Le tout est arrosé° uniquement | sprinkled
d'huile.

Au pays des troubadours

C'est la Provence qui a donné au monde les troubadours. Ces poètes et chanteurs des 12e et 13e siècles composaient leurs œuvres en langue d'oc ou occitan, une langue que l'on parle encore parfois dans cette région.

Leurs poèmes et chants avaient comme thèmes l'amour, la tristesse d'être séparé de l'être aimé et la solitude. Leur poésie d'une grande sophistication était le reflet des cours gracieuses que l'on trouvait dans toute la Provence à cette époque.

Aujourd'hui, les châteaux sont en ruines, la langue presque oubliée; pourtant le souvenir des troubadours vit toujours—symbole de courtoisie et d'élégance.

■ COMPRÉHENSION

1. Pourquoi la Côte d'Azur est-elle un symbole d'évasion? Pour qui représente-t-elle cette évasion?
2. Comparez les villes de Marseille et Nice en ce qui concerne leur origine, situation géographique, population ainsi que leurs attractions touristiques et industries.
3. Qu'est-ce que l'on appelle une « grosse tête » dans ce chapitre? Comment savez-vous qu'il est fatigant de porter une « grosse tête » lors du Carnaval? Aimeriez-vous le faire? Pourquoi ou pourquoi pas?
4. Décrivez les « batailles de fleurs » de Nice par le passé et de nos jours.
5. Pourquoi les fleurs sont-elles une grosse industrie en Provence? Que fait-on avec ces fleurs?
6. Pourquoi des sociétés de haute technologie choisissent-elles de s'installer sur la Côte d'Azur? Quels avantages peuvent-elles offrir à leurs employés?
7. Pourquoi le festival du film de Cannes est-il important? Aimeriez-vous y assister?
8. Pourquoi a-t-on créé des santons comestibles? Trouvez-vous que c'est une bonne ou une mauvaise idée? Pourquoi?

9. Pourquoi appelle-t-on Monaco le « paradis des sportifs »? Quelles sont les autres attractions de cette petite principauté?
10. Pourquoi de nombreux peintres ont-ils choisi de vivre en Provence? Lesquels parmi les peintres mentionnés connaissez-vous?

▬ QUESTIONS

1. Quelle région des Etats-Unis est un symbole d'évasion? Pour vous quel serait l'endroit idéal pour vous évader?
2. Que savez-vous du Carnaval de la Nouvelle-Orléans? De celui de Rio de Janeiro? Quels adjectifs pourriez-vous suggérer pour décrire la foule du Carnaval, l'ambiance de la ville avant et après le Carnaval?
3. Pourquoi la Côte d'Azur a-t-elle raison de ne pas compter uniquement sur le tourisme? Quels sont les pays méditerranéens qui offrent de la concurrence à la Côte d'Azur? Quelles seront les meilleures sources de revenu de la Côte d'Azur dans les dix années à venir?
4. Que savez-vous des troubadours? Qu'est-ce que ce mot évoque pour vous?
5. Qu'est-ce qui vous intéresse en Provence? Que feriez-vous et que visiteriez-vous si vous y alliez?
6. En quoi cette région est-elle unique?
7. Quels grands parfumeurs français connaissez-vous? Combien se vendent leurs parfums? Est-ce trop cher, selon vous?

▬ EXERCICES DE LANGUE

1. L'expression *se lancer des fleurs* est utilisée dans ce texte au sens propre. Elle a aussi un sens figuré: *se lancer des fleurs* veut dire dans ce cas: *se faire des compliments, échanger des éloges.* Faites deux phrases avec cette expression, l'une au sens propre et l'autre au sens figuré.
2. Quels mots sont contenus dans les mots suivants:
   a. insecticide
   b. aromatique
   c. parfumerie
   d. urbanisation

   Trouvez 3 autres mots de ce genre dans le texte. Faites des phrases avec les mots que vous trouvez et avec ceux qui sont indiqués ci-dessus.

3. En suivant le modèle, faites des phrases avec les éléments suggérés:

   MODÈLE: La bataille de fleurs est une coutume typiquement niçoise.

   a. bouillabaisse / spécialité / provençale
   b. parfumerie / industrie / française
   c. Renoir / peintre / impressionniste

4. Dans la section *Les fleurs sont aussi une industrie,* trouvez tous les mots qui se rapportent à la parfumerie.

5. Dans la section *Un carrefour technologique et scientifique,* on utilise le mot *parc* pour décrire Valbonne-Sophia Antopolis. Est-ce la façon habituelle d'utiliser ce mot? Comment l'utilise-t-on généralement?

■■■ *DISCUSSION / COMPOSITION*

1. Il existe une grande rivalité entre les villes de Nice et de Marseille. Pourquoi, selon vous? Quelle ville vous semble plus intéressante à visiter et à habiter?

2. Comment pourriez-vous organiser un Carnaval dans votre école ou université? Y aurait-il un thème? des chars allégoriques? des corps de musique? Quels seraient les problèmes les plus graves auxquels vous devriez faire face? Ce projet serait-il réalisable?

■■■ *PROJETS*

1. Présentez une exposition Picasso, Renoir, Van Gogh ou Chagall à la classe. Il faut inclure au moins 5 reproductions de tableaux et donner un petit commentaire en français sur chaque œuvre.

2. Dans des magazines américains et français, trouvez des publicités pour au moins 3 parfums français. Sur quels aspects des parfums insiste-t-on dans ces publicités? Le message est-il le même dans la presse américaine que dans la presse française? Indiquez à la classe quelle publicité vous semble la plus originale et la plus efficace et expliquez pourquoi.

La Corse: Une île pas comme les autres

La Corse est la moins peuplée des régions de France et la plus petite après l'Alsace. Géographiquement, la Corse est tout à fait séparée du reste du pays. Cette séparation est souvent plus que géographique. En Corse les villes et les villages s'appellent Ajaccio, Bastia, Calvi, Bonifacio—des noms qui ressemblent plus à l'italien qu'au français.

Ici les gens parlent généralement français, mais entre eux, plus des trois quarts parlent corse.

La Corse est une province française si différente des autres que le gouvernement français a officiellement reconnu ces différences et lui a accordé un statut spécial.

L'île des vacances

La Corse est par excellence une terre de tourisme. Son climat est remarquable. On peut profiter des merveilleuses plages corses de mai à septembre.

Le visiteur apprécie l'extraordinaire variété de l'île. Il peut se baigner, bien sûr, mais aussi aller à la montagne, aller à la chasse ou à la pêche, visiter des ruines romaines et des monument plus récents.

Le tourisme, pour ces raisons, est une des industries dominantes de l'île. L'agriculture vient en deuxième lieu.

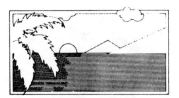

Un passé aussi varié que ses paysages

Les Grecs d'abord, puis les Romains sont venus en Corse. Pendant cinq siècles les Romains ont gouverné toute la Corse. On voit encore des traces de cette époque, particulièrement dans la ville d'Aléria, où le plan de la ville romaine a été retrouvé par les archéologues. On voit le Forum, le Prætorium (le palais du gouverneur), un temple, deux établissements de bains, un amphithéâtre et des maisons.

Après les Romains, la Corse a connu une période difficile d'invasions de toutes sortes. Mais, vers le 11e siècle, l'île est passée sous le contrôle de l'évêque de Pise (Italie). L'évêque a fait construire des centaines d'églises romanes dont certaines existent encore de nos jours.

Puis, pendant des siècles, la Corse a été gouvernée par Gênes (Italie). Les Génois étaient à l'époque de brillants architectes militaires. Pour protéger l'île, ils ont construit sur ses côtes un réseau complet de tours, qui sont toujours là et qui contribuent à l'aspect romantique de la Corse.

En 1768, Gênes a vendu à la France ses droits sur la Corse.

Le Corse le plus connu du monde: Napoléon Bonaparte

La Corse était française depuis un an quand Napoléon Bonaparte, l'enfant le plus illustre de l'île, est né à Ajaccio, capitale de la Corse, en 1769.

On a envoyé le jeune Napoleone Buonaparte à l'école militaire de Brienne, une petite ville au sud-est de Paris. Là, ses professeurs l'ont décrit de la façon suivante: « Entièrement porté à l'égoïsme, ambitieux, aspirant à tout, aimant la solitude ». Ces mêmes professeurs ne s'attendaient cependant probablement pas à ce que Napoléon Bonaparte devienne, à l'âge de trente-cinq ans, Empereur des Français.

A l'époque où Napoléon était un jeune général de l'armée française, tout le pays, et particulièrement Paris, était bouleversé par la violence et la terreur causées par la Révolution de 1789.

Napoléon donnait l'impression de pouvoir rétablir l'ordre et la paix. C'est pour cette raison que les Français lui ont d'abord donné le titre de Premier Consul.

Napoléon se couvrait de gloire par ses succès militaires en Italie, en Egypte et ailleurs. Rien ne semblait pouvoir arrêter son armée. Il a profité de ces succès pour se faire nommer Consul à Vie, puis en 1804, Empereur des Français.

Malheureusement pour lui, Napoléon n'a pas réussi à apporter la paix extérieure dont la France avait tellement besoin à l'époque. Après une sérieuse défaite contre les Allemands, le Sénat français l'a obligé à abdiquer.

L'un des hommes les plus connus de l'histoire, Napoléon Bonaparte est né dans la petite île de Corse.

C'est à ce moment qu'il s'est retiré à l'île d'Elbe. Quelques mois plus tard, il est revenu en France et a réussi à réunir son armée. La bataille de Waterloo en 1815 a mis fin à sa carrière militaire. Il a dû s'exiler à l'île de Sainte-Hélène, où il est mort en 1821.

Un pays de chansons

Les Italiens ont laissé de nombreuses traces des siècles qu'ils ont passés en Corse. Les noms, les monuments témoignent de cet héritage. Mais il y a aussi les chansons. Les Corses sont par nature chanteurs et musiciens. Leurs chants traditionnels reflètent les tourments et les luttes de ce peuple.

Les lamenti.   Comme l'indique le nom, ce sont les lamentations des hommes qui partent pour la guerre. Les lamenti peuvent aussi être les lamentations de bandits qui sont obligés de rester cachés et qui ne peuvent pas rejoindre leurs familles et leurs villages.

Les voceri.   Ces chants sont typiques de la Corse, où la violence a toujours fait partie de la vie quotidienne. Les voceri sont improvisés après une mort violente. Le but du chant est d'inciter la famille de la victime à la vengeance.

Les satires.   Ces chansons qui ridiculisent les événements, les institutions et les personnalités du moment font aussi partie de la tradition folklorique corse. On les chante au moment des élections.

Des traditions religieuses

Toutes les villes et tous les villages de la Corse ont des festivals religieux au moment de la Semaine sainte qui précède la fête de Pâques.

La procession de Sartine est assez représentative de ces fêtes. Le Vendredi saint, la procession fait revivre pendant trois heures le chemin du Calvaire.[1] Un homme du village est choisi en secret par le prêtre pour personnifier le Christ. Personne ne connaît l'identité de cet homme pendant la procession. Il est habillé d'une robe rouge; ses pieds nus sont reliés d'une chaîne. Il porte sur l'épaule une lourde croix en bois. Dans le passé, c'était souvent un bandit qui demandait de personnifier ainsi le Christ. C'était une façon de faire pénitence. Un homme ne peut jouer ce rôle qu'une seule fois dans sa vie. Le prêtre le choisit parmi tous les volontaires qui en font la demande. La liste est toujours très longue et parfois il faut attendre une dizaine d'années pour être désigné.

Le pays de la « vendetta »

En Corse, la violence a souvent été la façon de régler les disputes familiales, politiques ou autres. La « vendetta » en Corse veut dire « vengeance ». Mais cette vengeance d'une offense ou d'un meurtre est la responsabilité de tous les parents de la victime.

Cette coutume remonte à des siècles. Elle s'est un peu atténuée de nos jours, mais elle n'a pas disparu.

La vendetta corse a souvent servi de thème à des œuvres littéraires et musicales.

[1] **chemin du Calvaire**   Refers to the journey made by Christ at the time of his Passion. Before his crucifixion, Christ had to carry his cross to the top of the hill where he was crucified.

Française ou indépendante? Voilà une question qui suscite de violentes réactions depuis longtemps en Corse. Ici, une manifestation en faveur de la Corse française.

Colomba: L'histoire d'une vengeance

Prosper Mérimée était un écrivain du 19e siècle. Il a énormément voyagé en Italie, en Corse et en Espagne et s'est inspiré de ses voyages dans ses œuvres. Une de ses nouvelles dramatiques, *Carmen*, décrit la vie des gitans en Espagne et est devenue un opéra célèbre. Une autre nouvelle du même genre, *Colomba*, raconte l'histoire d'une vengeance familiale en Corse.

L'histoire.   Quelques années après la défaite de Napoléon à Waterloo, un jeune lieutenant corse, Orso Della Rabbia, revient à son pays natal. Pendant son voyage, il fait la connaissance d'une jeune Irlandaise, Lydia Nevil, et tombe amoureux d'elle.

En arrivant à son village de Pietranera, au nord de Bastia, il comprend tout de suite que les choses vont très mal. Son père a été assassiné. D'après Colomba, sa sœur, l'assassin est le chef d'une famille rivale, l'avocat Barricini. Colomba exige qu'Orso venge la mort de son père.

Orso est courageux mais, à la suite de ses voyages, il trouve que la vendetta est une façon barbare de procéder. D'autre part, il craint de perdre Lydia s'il agit en meurtrier. D'ailleurs il ne croit pas que Barricini soit coupable.

Mais Colomba veut à tout prix venger la mort de son père. Pour convaincre son frère d'agir, un soir, elle entre en secret dans l'enclos° où paddock se trouve le cheval d'Orso. D'un coup de couteau féroce, elle coupe l'oreille de la pauvre bête.

Le lendemain, Orso trouve son cheval blessé. Il croit que la famille Barricini a commis ce crime. Pour les Corses, mutiler le cheval de son ennemi est une menace de mort.

Après cet incident causé par Colomba, Orso n'a plus le choix. Il doit venger son père. Colomba triomphe et elle savoure sa vengeance sans la moindre pitié.

La vie politique en Corse

Le concept de famille est très important dans la politique de l'île. Dans les villages, on a pris l'habitude de se mettre sous la protection d'un clan ou d'un autre. On utilise cette loyauté au moment d'élections au niveau municipal, dans les cantons ou au parlement. La loyauté s'obtient et se récompense par des pensions, des emplois ou d'autres remerciements tangibles.

L'autonomie corse

La Corse est séparée de la France par sa géographie, par sa langue, ses origines, ses coutumes et ses traditions. Plusieurs Corses croient qu'elle devrait également être séparée officiellement.

Malheureusement ce désir d'indépendance s'est manifesté par la violence: le terrorisme répété, les enlèvements,° les attentats à la bombe, les meurtres.

kidnappings

En vue de mettre une fin au terrorisme autonomiste corse, le gouvernement central français a voté en 1982 un statut spécial pour l'île. Selon cette loi, les Corses sont les seuls Français à élire une Assemblée régionale qui décide des solutions aux problèmes spécifiquement corses. D'autre part, cette loi leur donne une grande autonomie en matière d'éducation.

L'agriculture et le tourisme: Des industries à développer

Deux industries sont d'importance capitale pour réduire la violence et assurer du travail aux Corses: le tourisme et l'agriculture.

La Corse est un grand producteur de fruits. Grâce à son sol et à son climat particulier, elle produit aussi d'excellents vins. « Le vin corse, dit-on, met tout le soleil de la Méditerranée et le parfum de la chaleur dans un verre. » Les vins blancs sont secs et délicats, les rosés sont fruités et riches en couleur. Les vins rouges sont puissants et s'améliorent avec les années. Les Corses recommandent de boire ces vins avec les fromages de chèvre qui sont la spécialité de l'île.

Bien que le tourisme corse ait été jusqu'à un certain point saboté par le climat de violence qui sévit° depuis les années 70, cette industrie reste la chance la plus évidente de progrès économique important. Car le tourisme mise° sur les plus sûres richesses de la Corse: sa beauté, la variété de ses côtes et son soleil.

rages

bets

A ne pas manquer dans l'île

Ajaccio

La capitale de la Corse est un port de commerce et de plaisance de 50.000 habitants. La ville a été fondée au 15e siècle par les Génois. Aujourd'hui, c'est une cité moderne où les grandes avenues commerciales contrastent avec les petites rues de la vieille ville près du port.

C'est la ville natale de Napoléon et on trouve ici plusieurs souvenirs de l'Empereur. On peut visiter sa maison natale, la « Casa Bonaparte », la cathédrale où il a été baptisé et un musée qui contient des souvenirs personnels.

A Ajaccio, on peut également profiter des plages de sable.

Port de plaisance et port commercial, Ajaccio avec 50.000 habitants est le centre économique de l'île.

Bastia

Avec 55.000 habitants, Bastia est la plus grande ville de Corse. Bastia est l'ancienne capitale génoise. On peut visiter l'imposant palais des gouverneurs génois et la vieille ville avec ses hautes maisons qui s'inclinent vers le port.

Corte

C'est une cité historique, une citadelle qui a toujours été le refuge des patriotes corses. On trouve ici la maison des parents de Napoléon. De Corte, on peut aussi faire des douzaines de merveilleuses excursions dans les montagnes des environs.

▄▄▄ COMPRÉHENSION

1. Pourquoi la Corse semble-t-elle plus italienne que française?
2. Avec les renseignements donnés dans ce chapitre, faites un portrait de Napoléon Bonaparte. Pourquoi a-t-il été exilé?
3. Qui sont les personnes qui veulent personnifier le Christ au cours de la procession annuelle de Sartine? Pourquoi veulent-elles le faire? Comment sont-elles choisies et par qui?

4. En rentrant dans sa famille, le lieutenant Della Rabbia a peut-être reconnu un chant typique de son pays. Quel genre de chant? Pourquoi?
5. Expliquez pourquoi Colomba a mutilé le cheval de son frère. Est-ce que c'était une bonne ou une mauvaise idée? Pourquoi?
6. Pourquoi certains Corses veulent-ils se séparer du reste de la France? Quelle est la réaction du gouvernement français?
7. Que doivent faire les Corses pour développer leur industrie touristique?

QUESTIONS

1. Connaissez-vous l'opéra *Carmen*? Quel en est le thème?
2. Comment passeriez-vous une semaine en Corse? A quelle époque de l'année iriez-vous?
3. Napoléon est une figure historique française généralement connue de tous les Américains. Pourquoi le connaît-on? Quelle est l'opinion qu'ont les Américains de lui?
4. Plusieurs produits utilisent l'image de Napoléon pour faire leur publicité. Pourquoi? Est-ce que c'est efficace?
5. Quels sont les problèmes de la Corse? Pouvez-vous comparer cette région avec la Bretagne et l'Alsace?

EXERCICES DE LANGUE

1. Quels adjectifs pouvez-vous suggérer pour décrire Colomba? son frère?
2. Trouvez dans ce chapitre au moins cinq phrases ou expressions qui décrivent la Corse et les Corses.
3. Quand on dit de quelqu'un que c'est un vrai petit Napoléon, que veut-on dire?
4. Trouvez, dans ce chapitre, les termes qui illustrent la violence.

DISCUSSION / COMPOSITION

Que pensez-vous de la vendetta? Est-ce que cela existe aux Etats-Unis? Dans quels milieux? Est-ce que cela sert parfois de thème à des œuvres littéraires ou à des films? Pouvez-vous en donner des exemples?

▄▄ PROJETS

1. Trouvez et apportez à la classe des images de Napoléon—publicités de produits, œuvres d'art et autres illustrations. Comment est-il représenté sur ces œuvres? Que savez-vous de lui en regardant ces illustrations?
2. Trouvez des disques ou des cassettes de musique corse qui illustrent certains des chants mentionnés dans ce chapitre.

L'Europe francophone

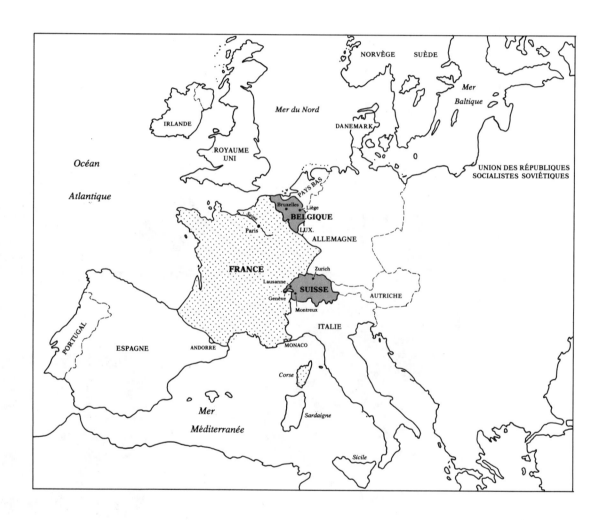

NORVÈGE   SUÈDE

Mer du Nord

IRLANDE

ROYAUME
UNI

Océan

Atlantique

DANEMARK

*Mer
Baltique*

UNION DES RÉPUBLIQUES
SOCIALISTES SOVIÉTIQUES

PAYS BAS

Bruxelles   Liège
BELGIQUE

Seine

Paris
LUX.
ALLEMAGNE

FRANCE
Lausanne   Zurich
SUISSE
Genève   AUTRICHE
Montreux

PORTUGAL
ESPAGNE   ANDORRE
MONACO   ITALIE

Corse

*Mer
Méditerranée*

Sardaigne

Sicile

D es Belges, Jules César a dit: « De tous les Gaulois, ce sont les plus braves. » Au cours de leur tumultueuse histoire, les Belges ont eu de nombreuses occasions de démontrer ce courage.

Leur pays a été sous la domination des Romains, sous contrôle allemand, autrichien, hollandais, espagnol et français. En effet, depuis Jules César, il y a eu plus de cinquante conquêtes de la Belgique. Pendant les deux plus récentes en 1914 et en 1940, elle était aux mains de l'Allemagne.

La situation géographique de la Belgique, qui en temps de conflit l'a rendue vulnérable aux invasions, contribue en temps de paix à faire de ce petit pays de dix millions d'habitants le carrefour de l'Europe.

Trois langues nationales: Une querelle

La Belgique a trois langues officielles: aucune de ces trois langues n'est « le belge ». L'allemand est parlé par quelque 600.000 habitants. Le flamand et le français sont parlés dans le reste du pays.

C'est au nord que les Belges parlent flamand, une langue d'origine germanique qui ressemble au hollandais. Dans les provinces du sud, la majorité des habitants parlent français. En plus, beaucoup de Belges au sud utilisent le wallon entre eux: une langue dérivée du latin mais plus ancienne que le français.

Une frontière invisible semble séparer la section flamande de la région francophone.

Pendant des siècles le français était la langue des classes dirigeantes. Ce n'est qu'au milieu du siècle dernier que les querelles linguistiques ont commencé. A ce moment, les Flamands ont réclamé et obtenu l'égalité des langues sur le plan administratif, dans les écoles et universités.

La région flamande, les Flandres, est habitée par près de 60 pour cent des Belges. La région francophone, la Wallonie, en contient un peu plus de 30 pour cent. Bruxelles, la capitale du pays, représente une zone à part, hors des frontières linguistiques. La ville est officiellement bilingue, mais la majorité des Bruxellois sont francophones.

Une nation jeune

La nation belge telle qu'elle existe aujourd'hui est née seulement en 1830. On sait que peu de temps auparavant, en 1815, Napoléon Bonaparte avait subi sa défaite définitive à Waterloo, à vingt kilomètres de Bruxelles.

A cette époque-là, la Belgique était française. Elle avait été annexée à la France au moment de la Révolution de 1789. A la suite de la défaite de Napoléon, les puissances européennes ont essayé de réorganiser l'Europe. Dans cette réorganisation, la Hollande et la Belgique se sont trouvées réunies en un seul pays.

Le mariage de la Belgique et de la Hollande était voué à l'échec° dès le début. Les deux pays avaient été unis auparavant, au 16e siècle, mais depuis leur séparation en 1759, chacun avait évolué à sa façon.

doomed to failure

Bientôt, les choses ont commencé à aller très mal. Le divorce semblait inévitable. Les Belges ont réclamé l'indépendance, d'abord paisiblement, puis avec plus de véhémence. En septembre 1830, Bruxelles a vécu une série de journées révolutionnaires. Près de deux mille « patriotes » ont perdu la vie. Mais la libération du peuple était acquise.

Le roi des Belges

Les Belges ont dû, à cette époque, choisir une forme de gouvernement pour leur pays. Ils ont opté pour une constitution démocratique mais monarchiste. Ce système ressemble de près au système britannique, qui lui a d'ailleurs servi de modèle.

Puisque ce sont les Belges qui ont choisi leur monarque, le roi a le titre de « Roi des Belges » et non pas de « Roi de Belgique ». Depuis 1951, Baudoin I est roi des Belges.

La formule semble avoir réussi à la Belgique puisque le pays a connu, depuis son indépendance, une croissance extraordinaire et ceci en dépit des invasions des dernières guerres.

La Belgique est hautement industrialisée. L'acier, le cobalt, les industries chimiques et textiles y sont particulièrement importantes.

Bruxelles: La capitale de la Belgique

En 1979, Bruxelles a fêté son millième anniversaire. Vers la fin du 10e siècle, Charles de France, frère du roi de France, a décidé de fonder un poste militaire et administratif qu'il a baptisé Brucosella. Le camp est rapidement devenu un centre de commerce de plus en plus florissant.

C'était une ville de draperie, d'argent et de frappe de monnaies.° Au 15e siècle, l'époque des Bourguignons, Bruxelles a pris encore plus d'éclat. Puis au 16e siècle, sous le règne de l'empereur Charles-Quint, elle est devenue la première ville des Pays-Bas. Capitale, elle l'est restée sous les Espagnols, puis sous les Autrichiens. A travers les luttes qui ont marqué les 17e et 18e siècles en Europe, la ville a réussi à garder son individualité et son esprit d'indépendance.

minting of coins

La Grand'Place: Le cœur de la ville

Le cœur de la ville est sa Grand'Place. Aujourd'hui, comme depuis près de trois cents ans, la Grand'Place offre ce que l'écrivain français Jean Cocteau appelait un « riche théâtre ». Le décor doré° de la place avec ses imposantes façades fait revivre le passé et donne de la splendeur au présent.

golden

La Grand'Place est toutefois plus qu'un lieu historique. C'est le lieu

Dans le cadre somptueux de la Grand'Place, c'est toute l'histoire de Bruxelles qui revit.

de rencontre de toute la ville. C'est ici que se tiennent les marchés aux fleurs et aux oiseaux. L'été, les visiteurs peuvent vraiment profiter de ce cadre somptueux au cours d'un spectacle « Son et Lumière », qui fait revivre les heures heureuses et les heures tristes de la capitale.

Tout autour de la Grand'Place rayonnent les rues étroites et pittoresques du vieux Bruxelles, ce que l'on appelle l'Ilot Sacré. Les noms des rues ont toute la saveur du passé: rue du Beurre, rue Chair et Pain, rue des Harengs,° rue des Bouchers.

herring

Dans une autre section de Bruxelles, la haute ville, on change d'univers. Ici c'est une Bruxelles plus officielle, celle des congrès et des délégations. Les avenues sont larges et élégantes—certains diront impersonnelles. C'est dans ce quartier que l'on trouve le palais du roi Baudoin et de la reine Fabiola.

Bruxelles, comme Strasbourg en France et Genève en Suisse, est une ville profondément européenne. Grâce à sa position centrale en Europe, la capitale de la Belgique est devenue une des « plaques tournantes »° du continent. C'est ici que l'on trouve le siège social de lá Communauté économique européenne et de bon nombre d'autres organismes internationaux comme l'OTAN (Organisation du Traité Nord-Atlantique).

turntables

Un musée souterrain pour une capitale artistique

Pays fier de sa vie artistique, la Belgique compte certains des plus prestigieux musées du monde. A Bruxelles, le Musée Royal des Beaux-Arts est renommé pour les tableaux des maîtres flamands qui y sont exposés. Depuis 1984 cependant, il ne se limite plus aux chefs-d'œuvre anciens, mais complète sa collection par tout un musée d'Art Moderne. La particularité de ce nouveau musée est qu'il est construit entièrement sous terre.

Cette décision a été prise après de longues années de discussion. Comment, en effet, ajouter une aile au musée d'Art Ancien et faire en sorte que celui-ci conserve son apparence du 18e siècle? Une solution s'est finalement imposée: on a creusé huit étages souterrains qui aujourd'hui abritent les œuvres des grands artistes belges et étrangers des cent dernières années.

Une ville sportive aussi

Le football est le sport préféré des Belges, mais en septembre, tous les ans, Bruxelles se transforme en capitale de l'athlétisme. Une grande compétition internationale commémore le souvenir d'un des meilleurs athlètes belges, Ivo Van Damme.

Né à Louvain, Van Damme semblait destiné à un brillant avenir quand il a remporté la médaille d'argent pour les 800 mètres aux Jeux Olympiques de Montréal en 1976. Quelques mois plus tard, il mourrait tragiquement dans un accident de voiture.

C'est un groupe de journalistes qui a organisé la première rencontre d'athlétisme portant son nom en 1977. On attendait 10.000 personnes au stade Heysel de Bruxelles, mais plus de 40.000 spectateurs sont venus remplir les gradins.° Jamais une compétition d'athlétisme n'avait suscité un tel intérêt en Belgique.   stands

L'événement est depuis devenu annuel, et les commentateurs sportifs l'appellent volontiers les « mini-jeux olympiques », un nom qui plairait sûrement à Ivo Van Damme.

250.000 immigrés à Bruxelles

Depuis une dizaine d'années, Bruxelles connaît une explosion démographique importante. Centre international par excellence, la capitale de la Belgique attire une grande quantité de travailleurs immigrés. Bruxelles compte 1.000.000 d'habitants dont 250.000 d'origine étrangère.

Cette transformation de la population ne va pas sans poser certains problèmes. Souvent les nouveaux arrivés ne parlent même pas la langue du pays.

L'expérience belge en matière biculturelle contribue toutefois à faciliter l'intégration des étrangers. Toute une série de cours sont disponibles: cours de langue (ou même d'alphabétisation) pour les non-Belges; cours concernant les problèmes des immigrés pour les fonctionnaires belges.

On cherche aussi à multiplier les organisations culturelles pour immigrés et belgo-immigrés.

Il est évident que ces efforts, aussi positifs qu'ils soient, n'éliminent pas tous les problèmes de la capitale, mais au moins, à Bruxelles, on est disposé à faire face à ces difficiles questions sociales.

La Belgique gourmande

Il ne faut surtout pas le dire aux Français, mais bon nombre de personnes sont d'avis que l'on mange mieux en Belgique qu'en France.

Le Belge est un gourmet de tradition: c'est-à-dire que non seulement il aime déguster d'excellents plats mais il connaît depuis longtemps les meilleures recettes. La cuisine belge est peut-être moins exotique que la française. L'accent est mis sur la qualité des produits et sur la saveur authentique.

Les gaufres.°   Bruxelles est la capitale des gaufres. Les gaufres, que   waffles
l'on appelle en Belgique des « speculoos » ou des « conques », se servent caramélisées, à la crème, au sirop, aux fruits frais. On peut en faire presqu'un repas, ou simplement un goûter que l'on prend après quelques heures de tourisme et de shopping. Des stands un peu partout dans

Qui peut résister? Ces pralines ou bouchées au chocolat ne sont pas seulement jolies à regarder, mais délicieuses à manger.

les rues sont là pour nous tenter. La tradition des speculoos est très ancienne. Les moules à gaufres° d'autrefois avec leurs personnages folkloriques ou motifs ingénieux étaient l'œuvre de véritables artisans.

Les moules.° Les visiteurs aiment se rendre dans le vieux Bruxelles, l'Ilot Sacré, déguster une autre spécialité bruxelloise: les moules. On les sert généralement cuites à la vapeur d'un bouillon au vin blanc, au céleri et à l'ail. Des frites° accompagnent les moules comme elles accompagnent d'ailleurs presque tous les repas en Belgique.

Les chocolats. En Belgique, on appelle « pralines » ces bouchées,° quel que soit le mélange que le chocolat recouvre. On excelle depuis des siècles en Belgique à travailler le chocolat pour l'adapter au goût des amateurs exigeants.

Les bières. Attention, amateurs de bière! Les Belges sont de grands experts. Ils fabriquent, bien sûr, des bières de tous les jours ou bières de table. Mais il y a aussi des bières de dégustation. La ville de Louvain produit une bière « blanche » opaque et rafraîchissante. Ailleurs, les bières sont ambrées ou noires. Il y a même une bière rouge et une bière « aux cerises ». Souvent tout un cérémonial accompagne la dégustation de la bière. En Belgique cette boisson est mise sur le même rang que le champagne ailleurs.

Au pays des fêtes

Des hivers longs, des carêmes° stricts, des souvenirs d'histoire, des événements locaux ont nourri, depuis des siècles, les carnavals et fêtes belges.

Le plus brillant se tient à Binche. Ce carnaval commémore la découverte, au 16e siècle, des trésors du Pérou par des explorateurs belges.

waffle irons

mussels

french fries

bite-size chocolates

Lenten periods

Avec leurs costumes fantaisistes, les Gilles, personnages carnavalesques de Binche font revivre les anciennes coutumes du pays.

Le costume des Gilles, personnages carnavalesques, est noir, jaune, rouge, agrémenté de deux cents mètres de rubans et de plumes d'autruches d'un mètre de haut.

Les Gilles dansent dans la rue sur un motif de pavane. Ils ne se lancent plus des poignées° d'or comme à la Renaissance, mais des oranges. On installe d'ailleurs des grilles pour protéger les fenêtres des maisons de la ville.

handfuls

L'Ommegang de Bruxelles

C'est un des plus beaux spectacles de l'année, qui se tient sur la Grand'Place de Bruxelles.

Les Ommegang remontent au 14e siècle, mais l'origine de celui qui se donne de nos jours remonte à l'époque de Charles-Quint (Charles V). L'empereur Charles-Quint était roi d'Espagne et empereur germanique au 16e siècle. La Belgique faisait partie de ses domaines, et il est donc venu à Bruxelles à plusieurs reprises.

L'actuel Ommegang de Bruxelles commémore ces visites impériales. Il se tient le premier jeudi du mois de juillet. C'est un merveilleux cortège historique où défilent les notables, la maison royale, l'ordre de la Toison d'or[1] et enfin Charles-Quint et sa famille, tous en costumes historiques.

---

[1] The "ordre de la Toison d'or," or Order of the Golden Fleece, was an order of knights founded in 1429 by Philippe le Bon, Duke of Burgundy. It commemorated the quest of Jason for the Golden Fleece. Later the Order spread to Austria and Spain.

La Belgique des artistes

La peinture

La contribution de la Belgique à l'histoire de l'art est incroyablement riche pour un petit pays.

La Belgique est la patrie de Bruegel, un des plus grands peintres du 16e siècle. Bruegel avait étudié à Anvers; puis après avoir voyagé et travaillé en France, en Italie, en Suisse, il s'est fixé définitivement à Bruxelles en 1563. C'est dans cette ville qu'il a créé ses chefs-d'œuvre.

Pieter Bruegel était un homme très instruit, conformément à la tradition humaniste. Il pouvait discuter de philosophie, de musique, de navigation avec les hommes les plus érudits de l'époque.

Pourtant son œuvre entière représente la vie, les coutumes, les plaisirs et difficultés des gens simples. Ses œuvres sont donc de précieux documents illustrant la vie quotidienne des gens de son époque.

Le Dénombrement de Bethléem de Bruegel. La foule se presse autour de l'auberge. Joseph et Marie (à dos d'âne) s'approchent. Autour, le peintre évoque une multitude de scènes de la vie quotidienne de son temps.

Le *Dénombrement°* *à Bethléem* représente un des meilleurs exemples   census
d'une description de la vie rustique. L'artiste mêle ici la réalité quotidienne de son temps à un épisode historique. Bruegel a choisi un petit
village flamand au mois de décembre pour illustrer l'épisode du recense-
ment° à Bethléem, quelques jours avant la nativité du Christ.   census

Plus de deux cents personnages participent à cette scène: hommes,
femmes, enfants. Au fond, des hommes construisent une maison; à
droite, les enfants patinent sur le lac; derrière eux, une femme travaille
à son jardin couvert de neige. Pendant que tous ces gens poursuivent
leurs activités de tous les jours, saint Joseph et la Vierge Marie entrent
timidement en scène et avancent vers l'auberge où une foule est déjà
assemblée.

La Belgique est très fière de ses grands maîtres: Bruegel, bien
sûr, mais aussi Rubens, Van Dyck, Van Eyck, sans oublier ceux d'une
époque beaucoup plus rapprochée de la nôtre, les surréalistes Del-
vaux et Magritte.

La danse

Depuis trente ans environ, la Belgique joue, dans le monde de la danse,
un rôle de premier plan, grâce à Maurice Béjart qui a soulevé un en-
thousiasme délirant pour sa version dansée du *Sacre du printemps.°* De-   *The Rite of Spring*
puis cet événement, Béjart est reconnu comme l'un des plus grands
chorégraphes du monde. Ses ballets sont plus que de la danse; ils sont
un « spectacle total ». Ils échappent aux conventions qui ont longtemps
emprisonné l'art du ballet.

La troupe de Béjart, le Ballet du 20e siècle, compte à l'heure actuelle
soixante-quinze membres. Sa réputation est mondiale, et les tournées
qu'elle effectue dans tous les pays du monde sont partout acclamées.

La musique

César Franck est né à Liège en Belgique mais a abandonné une brillante
carrière de pianiste pour aller étudier au Conservatoire de Paris. C'était
un homme religieux et modeste qui a passé la plus grande partie de sa
vie comme organiste d'église.

Les Parisiens de cette époque (1860) aimaient la musique super-
ficielle et gaie. Dans le monde musical de Paris, César Franck était donc
une figure isolée. Pendant que les autres mucisiens continuaient à se
passionner d'opéra, lui s'en détachait de plus en plus. Il préférait travailler au développement de la musique instrumentale. Plus tard, après la
guerre franco-allemande de 1870, un sentiment nouveau de natio-
nalisme et de sérieux s'est manifesté dans la culture française. Autour
de Franck se sont groupés certains grands compositeurs: Edouard Lalo,
Gabriel Fauré, Camille Saint-Saëns et Vincent d'Indy.

Vers la fin de sa vie, l'importante contribution de César Franck au renouveau de la musique instrumentale française a été enfin reconnue.

Liège: Ville musicale

Liège est la plus grande ville de la Wallonie. Au Moyen Age, cette ville était une principauté indépendante dont les souverains ont énormément encouragé l'essor° musical. Depuis lors, Liège a fourni des musiciens à l'Europe entière. Aux 18e et 19e siècles, les chanteurs de la chorale pontificale à Rome étaient recrutés à Liège. Les orchestres de Paris venaient dans cette ville recruter leurs violonistes.

development

Cette tradition musicale se maintient à l'heure actuelle. C'est ici que le Conservatoire royal de musique a été créé, et depuis sa création en 1966, l'Orchestre Symphonique est devenu le meilleur du pays.

Liège: La cité ardente

C'est dans cette ville que Charlemagne est né. Ce n'est toutefois pas pour cette raison que l'on a donné le nom de « cité ardente » à la ville de Liège. On l'a surnommée « cité ardente » à cause de ses forges° et de ses hauts fourneaux° qui envoyaient leurs lueurs° rouges dans le ciel sur les rives de la Meuse.

ironworks

blast-furnaces / glows

Ses industries traditionnelles, l'armurerie° et la verrerie sont encore vivaces de nos jours. Elles se sont transformées et adaptées à l'ère moderne.

manufacture of arms

Liège est également un des centres belges de l'industrie de l'acier—industrie qui représente un des secteurs les plus importants de l'économie belge.

Près de Liège, la cristallerie du Val-Saint-Lambert est renommée mondialement pour la pureté de son cristal et le talent de ses artisans.

Le monde des lettres

Les écrivains belges de langue française choisissent souvent d'aller tenter leur chance à Paris plutôt que de rester dans leur pays. Les raisons sont évidentes. Le marché est plus vaste, et une consécration de l'écrivain en France lui ouvrira les portes dans tout le monde francophone.

Pour cette raison, la contribution des Belges aux lettres passe parfois inaperçue. Les auteurs belges passent pour des Français.

Au 20e siècle, deux Belges ont apporté, chacun à sa façon, une contribution appréciable à la littérature populaire. Le premier, Hergé, est le créateur de la bande dessinée *Tintin*. Depuis 1929, les aventures de Tintin et de son chien Milou réjouissent les jeunes de sept à soixante-dix-sept ans. Par cette bande dessinée, ils accèdent à des mondes inconnus et merveilleux, de l'Occident et de l'Orient.

Le second, Georges Simenon, est le père du commissaire Maigret et de tout un monde du roman policier. C'est à Liège que Simenon est né, en 1912. Il existe d'ailleurs à l'université de Liège un centre d'études Georges Simenon auquel il a fait cadeau de tous ses manuscrits.

Maigret représente un type de policier traditionnel, comme il en existe encore beaucoup en Belgique et en France. Il est renfermé et secret. Il réfléchit longtemps avant de parler. Le commissaire Maigret mène toujours une enquête de déduction en déduction, sans impulsivité et en suivant une logique implacable. On le reconnaît à sa pipe, sans laquelle il est incapable d'agir ou de penser.

La Belgique de demain

Parce que la Belgique est un pays très industrialisé, ses plus grands problèmes au cours des dernières années sont venus de la crise qui a affecté l'industrie lourde du monde entier. Comme tous les pays industrialisés, la Belgique doit maintenant s'orienter vers une économie basée sur le secteur tertiaire plutôt que sur la production industrielle.

D'autre part, les Belges ont encore à résoudre les problèmes linguistiques qui continuent à diviser leur pays. Presque tous les ans, des incidents ont lieu affrontant Wallons et Flamands.

Mais la Belgique a, au cours de son passé, su trouver les solutions économiques et sociales nécessaires. Il semble que cela sera encore une fois le cas et qu'elle pourra affronter l'avenir avec sérénité.

▄▄ *COMPRÉHENSION*

1. Selon ce chapitre, quelles sont les trois caractéristiques les plus importantes des Belges?
2. Comment la Belgique est-elle démocratique et monarchiste à la fois?
3. Quelle a été l'importance de la Grand'Place dans l'histoire de Bruxelles? Quelle est son importance aujourd'hui?
4. Comment Bruxelles essaie-t-elle d'aider les travailleurs immigrés?
5. Parmi les spécialités gastronomiques belges, laquelle s'exporte le plus facilement? Le plus difficilement?
6. Comment savez-vous que les Belges aiment les sports?
7. Quelles sortes de personnages est-ce que Bruegel présente dans ses œuvres? Pourquoi ses œuvres sont-elles de précieux documents sur son époque?

8. Imaginez la réaction de César Franck à son arrivée à Paris. Que pensait-il des Parisiens et de leur goût musical?
9. Qu'est-ce que Charlemagne, Georges Simenon et César Franck ont en commun?
10. Quels sont les problèmes de la Belgique actuelle?

▬ QUESTIONS

1. On dit que Bruegel illustrait la tradition humaniste. Qu'est-ce que cela veut dire? Quels facteurs déterminent aujourd'hui si une personne est cultivée ou non? Comment jugez-vous le niveau d'instruction des gens? A leur façon de parler? De s'habiller? Autrement?
2. Liège est une ville à vocation musicale. Quelle est l'importance de la musique dans votre vie? Quelle sorte de musique aimez-vous? Quelle sorte de musique est à la mode? Jouez-vous d'un instrument? Chantez-vous? Et quel est le rôle de la danse dans votre vie? En tant qu'art? Divertissement social?
3. Le problème des travailleurs immigrés existe-t-il aux Etats-Unis? D'où viennent ces travailleurs? Quelle sorte de travaux font-ils? Quels problèmes sont causés par leur présence?
4. Avez-vous déjà lu des romans de Georges Simenon? L'inspecteur Maigret est-il connu ici? Pourquoi les romans policiers et les émissions policières à la télévision ont-ils toujours du succès?

▬ EXERCICES DE LANGUE

1. Dans ce chapitre, trouvez les termes qui se rapportent à la musique, à la danse, à la littérature.
2. Trouvez les termes qui se rapportent à la nourriture. Faites des phrases en utilisant ces mots.
3. Dans la section *Le monde des lettres*, on dit que les écrivains belges vont souvent « tenter leur chance » en France. L'expression *aller tenter sa chance* veut dire *aller essayer de faire fortune*. Voici d'autres expressions qui utilisent le mot *chance*. Que veulent-elles dire?

   a. Bonne chance!
   b. Il n'a pas de chance.
   c. Par chance, je l'ai vu avant son départ.
   d. C'est une chance à prendre.
   e. Il y a des chances qu'il pleuve demain.
   f. La chance a tourné et je me suis mis à gagner.

▬ *DISCUSSION / COMPOSITION*

Le tableau du *Dénombrement à Bethléem* est un des tableaux les plus connus de Bruegel. Bien que son sujet soit religieux, l'artiste utilise ce tableau pour montrer la vie des gens du 16e siècle. Quels personnages pouvez-vous identifier? Choisissez un de ces personnages et décrivez ce qui se passe dans cette scène. Par exemple:

1. Vous êtes un des petits enfants. Expliquez ce que vous faites. Décrivez votre maison et votre village.
2. Vous êtes saint Joseph. Que pensez-vous?
3. Vous êtes la dame qui travaille dans son jardin. Dites-nous ce qui se passe.
4. Vous êtes la Vierge Marie. Quelle est votre réaction aux événements de la journée?
5. Vous êtes dans la foule devant l'auberge. Qu'est-ce qui se passe? Pourquoi êtes-vous là? Comment était cette auberge hier? Comment sera-t-elle dans deux semaines?

▬ *PROJETS*

1. Préparez un court rapport sur la vie d'un des peintres belges mentionnés dans ce chapitre. En utilisant des photos, cartes postales, diapositives ou autres illustrations, organisez une petite exposition des œuvres de ce peintre.
2. Apportez à la classe un album des aventures de Tintin. Racontez l'histoire à la classe.

Située au cœur même de l'Europe, la Suisse est un pays d'une complexité extraordinaire. Il est difficile de parler d'une « nation », car ce tout petit pays d'un peu plus de six millions d'habitants est une mosaïque de vingt-trois cantons dans lesquels les gens parlent allemand, français, italien ou romanche: les quatre langues nationales suisses.

Géographiquement, la Suisse est un pays de contrastes. Les Alpes couvrent les deux tiers du pays. Certaines de ces régions de montagne connaissent des hivers dignes de la Sibérie. A quelques centaines de kilomètres au sud, le climat est méditerranéen.

La Suisse, au départ, est une nation pauvre en ressources naturelles. Elle compte plus de mille lacs, mais n'a pas d'accès à la mer. A cause de son terrain montagneux, moins de la moitié de la surface du pays est utilisable pour l'agriculture et l'élevage d'animaux. Enfin, la Suisse a un sous-sol pauvre en ressources minérales.

Pourtant, en dépit de conditions défavorables du point de vue géographique, ethnique, linguistique et économique, la Suisse est un des pays les plus riches du monde. Le tempérament travailleur et tenace de ses habitants ainsi que la solidité de ses institutions ont certainement grandement contribué à cette prospérité.

Un pays multilingue

Les lettres C.H. que les Suisses utilisent comme abbréviation du nom de leur pays veulent dire « Confédération Helvétique ».

Les Helvètes étaient l'une des tribus qui occupaient la Suisse au temps des Romains. A cette époque, les Helvètes se sont mis à parler latin. Mais par la suite, des tribus germaniques ont envahi leur territoire. Voilà pourquoi, dans certaines régions de la Suisse, on parle français et dans d'autres on a opté pour l'allemand. Dans le Sud, c'est un dialecte italien, le lombard, qui a subsisté.

Le français, l'allemand, l'italien sont donc les trois langues officielles de la Suisse. Environ les deux tiers des Suisses parlent allemand, un cinquième parle français, 600.000 parlent italien. La Suisse a une quatrième langue nationale: le romanche, parlé par environ 50.000 personnes.

Chaque enfant apprend au moins deux langues à l'école. La majorité des Suisses sont bilingues. Bon nombre sont trilingues. Au pays de la tolérance, on sait très bien respecter ces différences linguistiques des habitants du pays. Contrairement à ce qui se passe dans d'autres pays du monde, cette particularité n'a jamais donné lieu à des conflits ou à des disputes politiques.

Guillaume Tell et le début de la Confédération suisse

La très belle légende de Guillaume Tell est liée aux origines de la Confédération helvétique.

Le territoire suisse était, au 13e siècle, sous le contrôle des rois d'Autriche, les Habsbourg. A la mort du roi Rodolphe Ier, les Suisses ont craint que son successeur ne respecte pas les décisions qui affectaient leur territoire. Des représentants de trois cantons: Uri, Schwytz et Nedwald, se sont réunis le 1er août 1291 et ont signé un pacte d'assistance mutuelle en vue de protéger leurs droits et leur liberté. C'était le début de la Confédération suisse.

Dans cette lutte contre l'Autriche, la légende raconte qu'un arbalètrier,° Guillaume Tell, avait insulté un responsable autrichien du nom de Gessler. Pour le punir, celui-ci a imposé à Tell l'épreuve° bien connue de trancher° d'une flèche° la pomme placée sur la tête de son fils. [crossbowman / trial / split / arrow]

Après cette épreuve, Guillaume Tell est devenu un des conspirateurs les plus ardents contre les Autrichiens. Il a fini par tuer Gessler, annonçant ainsi une nouvelle ère d'indépendance et de liberté.

Le 1er août, jour de la fête nationale, dans toutes les villes et dans tous les villages du pays, des spectacles recréent ces événements historiques.

En réalité Guillaume Tell n'a probablement jamais existé. On croit que cette histoire de la pomme est tirée d'une vieille légende islandaise transplantée en Suisse au 15e siècle. Depuis elle a été rendue célèbre par l'écrivain allemand Schiller, qui en a tiré une pièce de théâtre, et par le compositeur italien Rossini, qui a utilisé le thème pour en faire un opéra.

Un pays riche en traditions

Il n'y a rien d'étonnant au fait que les Suisses aient conservé cette belle légende de Guillaume Tell. Dans tout le pays, des coutumes et traditions vieilles de centaines et souvent de milliers d'années vivent toujours. Les villes suisses sont restées très provinciales jusqu'au début de ce siècle, et les coutumes se sont maintenues ici alors qu'en Allemagne, en France et ailleurs en Europe elles se sont perdues. Chaque saison amène sa série de fêtes.

En hiver, les fêtes de la Saint-Sylvestre (le 31 décembre) sont particulièrement animées et bruyantes. Dans certaines villes, ces fêtes durent en fait de la mi-décembre à la mi-janvier. Des groupes costumés se promènent dans les rues en faisant la quête.°

begging for alms

Avant le mercredi des cendres,° c'est l'époque du carnaval. Le carnaval le plus populaire se tient dans la ville de Bâle. Pâques amène ses traditions aussi: la course aux œufs par exemple. C'est une compétition au cours de laquelle il faut porter une grande quantité d'œufs le long d'un trajet déterminé.

Ash Wednesday

A Zurich, selon la coutume, garçons et filles jouent à qui aura l'œuf le plus résistant. On tient son œuf étroitement dans la main droite; seule la pointe dépasse. Les œufs sont choqués l'un contre l'autre. Celui ou celle dont l'œuf ne se casse pas gagne l'œuf de l'autre.

La fête des vendanges°

grape harvesting

En Suisse romande° et dans le Tessin (Suisse italienne), les fêtes des vendanges sont nombreuses. Celle de Russin est typique. Russin est un petit village de trois cents habitants au cœur d'une région viticole dans le canton de Genève.

French-speaking (*Switzer-land*)

Toute la population participe à la préparation de la fête. On choisit un thème différent chaque année, mais toujours centré sur la vigne et ses travaux. Le dimanche après-midi a lieu un défilé composé d'une douzaine de chars, de plusieurs corps de musique et de groupes folkloriques.

Le vin de l'année précédente coule à flot. Des repas campagnards sont servis; il y a un bal et un champ de foire avec carrousels et autres attractions.

Un bon grand caquelon, du fromage et du vin, voilà tout ce qu'il faut pour une fondue inoubliable!

La fondue: Une tradition gastronomique

A l'origine, la fondue était peut-être une soupe au lait. Plus tard, on a ajouté du fromage, du beurre et des œufs. De nos jours, la fondue est redevenue plus simple.

L'authentique fondue suisse au fromage n'est faite que d'un mélange de fromage de Suisse—généralement de gruyère°—et de vin blanc. On y ajoute d'autres condiments et on fait chauffer ou fondre° le tout. On y trempe de petits morceaux de pain. La coutume veut que si un homme perd son morceau de pain dans le caquelon° à fondue, il doit acheter une bouteille de vin pour les gens de la table. Si une femme perd le sien, elle doit donner un baiser° aux hommes du groupe.

Swiss cheese

melt

dish or pot for fondue

kiss

Un pays d'institutions

Tous les Suisses sont égaux devant la loi. A la suite de longs débats, les femmes ont obtenu le droit de vote en 1971. Le système de gouvernement est conçu de telle manière que les citoyens débattent et décident d'affaires concrètes. Avant de construire un hôpital, une école, un théâtre, les gens de la municipalité se prononcent sur la question. En un an, par exemple, les citoyens de la ville de Lausanne ont participé à une cinquantaine de référendums.

En Suisse, tous les hommes de vingt à cinquante ans doivent servir dans l'armée. A vingt ans, le jeune soldat doit faire une école de recrue° de quatre mois. Ensuite, tous les ans, il doit servir trois semaines.   recruit

Chaque soldat emporte chez lui son uniforme, son fusil° et ses munitions. Peu d'autres pays auraient cette confiance. Pourtant, les Suisses sont fiers d'affirmer que personne dans leur pays ne craint la révolution.   gun

Le pays où l'on invente des sports

Le tourisme est depuis longtemps une des industries clés de la Suisse. Ce petit pays a tellement à offrir aux visiteurs du monde entier: des montagnes sans pareilles, certains des plus beaux lacs du monde, de pittoresques villes et villages.

L'hiver est peut-être la saison privilégiée de la Suisse. Le ski se pratique non seulement dans les grandes stations de renommée internationale: Zermatt, Davos, Gstaad, Saint-Moritz, mais partout où il y a une colline ou une montagne. Il n'est pas rare de voir, dans les petits villages, les enfants partir pour l'école à skis.

Quand les Suisses deviennent blasés des sports d'hiver traditionnels, ski, patin, luge,° ils en inventent de nouveaux. C'est ainsi que le bob-sled est né. Le bob-sled est maintenant un sport olympique international. Et il y a quelques années, la Suisse a inauguré le « skibob », une sorte de vélo à neige.   toboggan

Au domaine de saint Bernard

Il reste peu de chiens aujourd'hui à l'hospice du Grand-Saint-Bernard. Mais ceux qui restent dans ce lieu, tout au sommet du col des Alpes entre la Suisse et l'Italie, rappellent une longue tradition d'hospitalité et d'entraide aux voyageurs.

L'hospice du Grand-Saint-Bernard a été fondé il y a mille ans par saint Bernard de Menthon. Les religieux de la congrégation de saint Bernard avaient la mission d'accueillir et d'aider les voyageurs qui voulaient franchir ce col des Alpes. Des chiens, que nous appelons aujourd'hui chiens Saint-Bernard, les aidaient à retrouver les voyageurs perdus dans la neige.

Impossible de parler de la Suisse sans mentionner les sports d'hiver. Le ski, le patin ou, comme ici, la luge, font partie des plaisirs du pays.

Aujourd'hui, un tunnel relie l'Italie et la Suisse, et les voyageurs ne sont plus obligés d'emprunter cette route dangereuse. Les chiens ont perdu leur mission montagnarde. Ils sont devenus de bons chiens domestiques dont la beauté et la douceur sont appréciées.

Des vaches,° des montres et des banques

cows

Les clichés abondent sur la Suisse. Souvent, ils sont assez près de la réalité.

On dit que son chocolat est le meilleur du monde. C'est possible. Mais le chocolat suisse est aussi une industrie. L'histoire du chocolat, aime-t-on dire en Suisse, a commencé avec une vache.

La Suisse dispose de peu de terres cultivables. Depuis des siècles, donc, on a appris à obtenir le meilleur rendement possible de ces terres en y mettant des vaches. Les vaches suisses ont développé de grandes qualités d'alpinistes. On les voit sur les plus hautes montagnes. Parfois, c'est seulement par le son des cloches° qu'elles ont autour du cou qu'on peut les retrouver. Attraction touristique certaine, les vaches suisses contribuent aussi à l'industrie alimentaire, une des industries les plus importantes du pays.

bells

Les fromages.   Si la fondue est devenue une institution mondiale, c'est parce qu'elle est faite avec un produit de grande qualité: le fromage suisse. Le gruyère est le plus connu, mais l'emmenthal est aussi exporté dans le monde entier.

Le chocolat.   On ne peut pas dire que le chocolat soit une découverte suisse. Pas tout à fait, car c'est Christophe Colomb qui a découvert le cacao au cours de ses expéditions au Nouveau Monde. En France, en Espagne, aux 17e et 18e siècles, on appréciait beaucoup le chocolat et on lui trouvait toutes les vertus. On disait même qu'il faisait maigrir,° tout en donnant, bien sûr, beaucoup d'énergie.

to lose weight

Si les Suisses ne l'ont pas inventé, ce sont toutefois eux qui ont eu l'idée d'ajouter du lait au chocolat et de créer les recettes que nous utilisons encore quotidiennement.

Le Suisse qui a eu cette idée s'appelait Henri Nestlé. En 1867, il a transformé le lait tel que nous le connaissons en lait en poudre.° Depuis, presque tous les enfants du monde ont été alimentés en partie de produits Nestlé. Le siège social de cette société est toujours en Suisse. Et Nestlé est la plus grande entreprise du pays.

powder

Les montres

Parce que le pays n'avait pas de base agricole très solide, la Suisse s'est industrialisée vite et facilement au siècle dernier. Les industries de la métallurgie, des machines et des appareils de précision se sont rapidement développées.

L'horlogerie fait partie de ce groupe d'industries. Elle a débuté à Genève et dans la région de Neuchâtel au 16e siècle. Elle s'est ensuite répandue dans plusieurs secteurs du pays. Environ 70.000 personnes travaillent dans l'horlogerie.

Les montres suisses doivent maintenant faire face à une sérieuse concurrence provenant du Japon. On estime que les progrès des Japonais depuis une dizaine d'années menacent la suprématie mondiale de l'horlogerie suisse.

Les banques

Qui n'a entendu parler des banques suisses? Pour certains, elles sont synonymes de grand luxe. Pour d'autres, elles représentent une façon un peu illégale de faire disparaître de l'argent. Les banques suisses sont, elles aussi, une importante industrie.

Contrairement aux banques d'autres pays, elles ont la particularité de ne pas dévoiler l'identité de ceux ou celles qui possèdent un compte en banque. Ainsi, certaines personnes peu scrupuleuses ont pu cacher d'importantes sommes d'argent dans ces comptes sans que cela puisse se savoir.

Les gouvernements étrangers aimeraient arriver à une certaine collaboration avec les autorités suisses en vue d'obtenir des renseignements. Mais jusqu'à ce jour, les Suisses respectent l'anonymat de leurs clients.

Petit détail non négligeable: il faut avoir au moins 50.000 dollars pour ouvrir un de ces comptes anonymes.

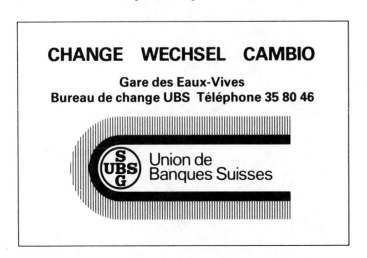

Genève: Ville internationale

Depuis des siècles, Genève est un centre international et une ville d'affaires.

Un mouvement religieux du 16e siècle, la Réforme, a particulièrement affecté l'histoire de Genève. C'est ce mouvement religieux qui a donné naissance au protestantisme.

L'instigateur de la Réforme était un prédicateur° allemand, Martin Luther. Celui-ci s'est élevé contre les excès de l'église catholique de l'époque. En France, son disciple le plus influent s'appelait Jean Calvin. François Ier, qui était roi à cette époque, a commencé par tolérer Calvin et ses idées. Mais après un certain temps, le roi a décidé que ces idées étaient subversives et Calvin a dû s'exiler. C'est à Genève qu'il s'est fixé définitivement à partir de 1536.

preacher

Ville d'institutions internationales, Genève est aussi une ville où il fait bon flâner.

A Genève, Calvin avait des pouvoirs de dictateur. Il faisait les lois, s'occupait de la défense de la cité, se débarrassait des théologiens avec qui il n'était pas d'accord. On disait de Genève qu'elle était la Rome des Protestants.

Le protestantisme a eu une profonde influence sur la ville de Genève ainsi que sur plusieurs parties de la Suisse.

La cathédrale de Saint-Pierre, église gothique construite du 10e au 13e siècles, est devenue protestante en 1536. Les Protestants voulaient simplifier le culte de la religion. Ainsi tout ce qui était jugé superflu dans les églises: statues et ornements par exemple, a été supprimé. Cela donne une impression d'austérité qui n'existe pas dans les cathédrales gothiques de culte catholique.

Si Calvin a amené une nouvelle austérité à Genève, il a aussi ouvert la ville sur le monde. Plus de deux cents organismes internationaux ont aujourd'hui leur siège à Genève, y compris la Croix-Rouge et les Nations unies.

Genève et la Croix-Rouge

C'est un Genevois, Henri Dunant, qui a fondé la Croix-Rouge. Dunant était avant tout un commerçant. Il avait suivi Napoléon sur les champs de bataille en Italie dans l'espoir de lui faire signer un contrat. Mais une fois sur place, la vue des souffrances des soldats blessés l'a bouleversé. Il a donc eu l'idée de fonder une association pour venir en aide aux victimes et aux blessés de guerre. En 1863, la Croix-Rouge est née à Genève.

Le pays de Jean-Jacques Rousseau

Le 18e siècle européen, le siècle des lumières, était une période riche en idées et en bouleversements politiques et philosophiques.

Certaines figures littéraires sont intimement associées à ce mouvement de renouveau, particulièrement Voltaire, Denis Diderot et Jean-Jacques Rousseau.

Jean-Jacques Rousseau est né à Genève. Il a eu une enfance difficile. Sans mère, il a été abandonné par son père et a dû s'instruire au hasard des circonstances. Malgré cela, il est devenu un des plus brillants écrivains et philosophes de son époque.

Son idée principale était que l'homme est naturellement bon. Mais il a été corrompu par la société. L'homme doit donc aspirer à un retour à la nature et à sa vertu primitive.

Dans ses œuvres: *La Nouvelle Héloïse, Emile, Les Rêveries du promeneur solitaire,* on sent un grand amour de la nature et un besoin de s'éloigner du monde.

Jean-Jacques Rousseau annonce les grands changements qu'a amenés la Révolution française ainsi que la naissance du mouvement romantique en littérature.

Près de Montreux, sur les bords du Lac Léman, le château de Chillon inspire les poètes depuis des siècles.

Quelques autres villes de la Suisse romande

Lausanne

Lausanne est une jolie ville d'environ 200.000 habitants située près du lac Léman. C'est une ville toute en escaliers qui a gardé son charme du passé tout en s'adaptant bien au présent. Elle possède une belle cathédrale gothique, des musées et des salles de concert.

Traditionnellement, Lausanne est une ville peu industrielle. Pourtant, elle est reconnue mondialement pour son industrie d'arts graphiques. Dans l'ensemble, c'est une ville intellectuelle avec une université et une vie artistique intéressante.

Montreux

Montreux est une petite ville entre le lac Léman et les montagnes. Montreux, avec son casino, sa vieille ville, ses beaux hôtels et ses plages, est une attraction touristique de qualité. Tout près se trouve le château de Chillon, l'endroit même où un illustre touriste, le poète britannique Lord Byron, a eu l'idée de composer son poème: *The Prisoner of Chillon.*

Montreux offre, en juillet tous les ans, un festival de jazz très connu et en septembre, un grand festival de musique classique.

La Suisse aujourd'hui et demain

La Suisse semble être un pays idéal: beau, prospère, propre et agréable. Sa neutralité en matière internationale évite les disputes et les ennuis avec ses voisins et les autres pays du monde.

S'agit-il d'une utopie? Presque. Car en fait, la Suisse a beaucoup moins de problèmes que l'ensemble des pays du monde. Parmi ses préoccupations actuelles, relevons-en quand même trois.

Les travailleurs immigrés

Il y a presque un million de travailleurs étrangers en Suisse, c'est-à-dire près de 15 pour cent de sa population totale. Ils viennent souvent d'Italie, d'Espagne, du Portugal. Les travailleurs étrangers en Suisse sont une cause de débats constants. A combien doit-on en limiter le nombre? Doit-on, si on estime qu'il y en a trop, les renvoyer dans leur pays contre leur souhait? Jusqu'à quel point veut-on qu'ils s'intègrent dans la société?

La Suisse est un pays hautement traditionnel et jaloux de ses privilèges. Le pays a besoin de la main-d'œuvre étrangère, mais on ne souhaite aucunement l'intégration de ces travailleurs à la vie intime du pays.

L'environnement

La Suisse est riche en ressources hydro-électriques. Pourtant, cette source d'énergie ne suffit pas aux besoins du pays. Il y a une vingtaine d'années, le gouvernement helvétique a donné le feu vert à la construction de cinq centrales nucléaires. Mais le projet d'en construire une sixième à Kaiseraugst a suscité une vive opposition.

Au cours des dernières années, Kaiseraugst est devenu un véritable symbole pour les écologistes et les mouvements antinucléaires européens. Le chantier° de construction ouvert en 1969 a été plus d'une fois occupé par une foule de manifestants venus d'Allemagne, de France, d'Italie comme des quatre coins de la Suisse. Tous se sentent concernés puisque cette centrale se trouve au centre d'un périmètre de territoire allemand, français et suisse connaissant la plus forte densité d'usines nucléaires en Europe. °site

En 1986, une catastrophe écologique a bouleversé la sérénité suisse. Le Rhin, la plus importante voie fluviale de l'Europe, traversant la Suisse, la France, l'Allemagne de l'Ouest et les Pays-Bas, a été accidentellement pollué par une importante décharge de produits chimiques dans ses eaux à la hauteur de Bâle. Cette décharge aurait bouleversé tout l'écosystème du Rhin, qui mettra plus de dix ans à retrouver son équilibre.

Peu après l'incident, des milliers de manifestants ont défilé dans les rues de la ville en portant des pancartes: « Cette fois-ci les poissons; la prochaine fois, nous! »

Traditionalisme et rigidité

Alain Tanner, cinéaste suisse de renom international, illustre bien ce concept dans un film réalisé il y a quelques années. Ce film s'appelle *Messidor*. Il raconte l'histoire de deux jeunes filles qui se recontrent par hasard. Elles partent sans but défini sur les routes de Suisse sans avertir leurs familles ou amis. Par défi envers elles-mêmes et aussi par défi l'une envers l'autre, elles décident de prolonger ce voyage même après avoir épuisé leurs dernières ressources.

Par hasard, elles obtiennent un revolver. Elles l'utilisent pour commettre quelques petits délits,° pour se nourrir ou pour se défendre.   misdemeanors

Finalement, elles sont dénoncées comme terroristes ou terroristes éventuelles (ce qu'elles ne sont pas). La télévision s'empare de° la situation et à la fin du film, traquées° et exténuées, elles tuent un homme qui était complètement étranger à cette histoire.   seizes   run into the ground

L'histoire est passionnante. Mais ce qui est plus important, c'est que le metteur en scène, Alain Tanner, profite de ce voyage à travers la Suisse pour jeter un regard très froid sur son pays et sur ses compatriotes. La Suisse que les jeunes filles traversent fait ressortir, en contraste avec la beauté du paysage, une rigidité et une hypocrisie inévitables.

Et s'il a choisi des filles comme personnages, explique Tanner, c'est pour mettre en valeur le fait que « la société suisse est essentiellement une société dominée par la loi masculine. »

En dépit de ces problèmes, aussi sérieux soient-ils, la Suisse semble avoir les ressources nécessaires pour maintenir, au cours des années à venir, la qualité de la vie qu'elle offre à ses habitants depuis longtemps déjà.

▬ *COMPRÉHENSION*

Indiquez si les commentaires suivants sont *vrais* ou *faux*:

1. La Suisse est divisée en 23 régions que l'on appelle des cantons.
2. La Suisse est très riche parce qu'elle a du pétrole et des ressources minérales.
3. La majorité des Suisses parlent deux ou trois langues, mais le pays n'a jamais eu de conflits à ce sujet.
4. Guillaume Tell est un patriote suisse qui a vécu au 18e siècle.

5. La Suisse n'est pas un grand pays agricole, mais elle produit de bons vins.
6. La fondue suisse se prépare avec du gruyère et du lait.
7. En Suisse, tous les hommes doivent faire leur service militaire.
8. Quand les Suisses s'ennuient, ils inventent de nouveaux sports d'hiver.
9. Les chiens Saint-Bernard ont toujours la mission de sauver les voyageurs en difficulté.
10. Le chocolat n'est pas une découverte suisse, mais les Suisses ont créé les recettes du chocolat.
11. Les banques suisses collaborent toujours avec les gouvernements qui ont besoin de renseignements sur leurs clients.
12. On appelait Jean-Jacques Rousseau « le Pape du protestantisme » dans la ville de Genève.
13. A Montreux, les touristes aiment se rendre au casino.
14. L'écosystème du Rhin est en danger depuis un grave accident près de Bâle.
15. Le cinéaste Alain Tanner critique ouvertement la société suisse dans ses films.

QUESTIONS

1. Quelle est votre image de la Suisse? Pourquoi avez-vous cette image? D'où vient-elle? Si vous alliez en Suisse, que voudriez-vous y faire? A quelle époque de l'année iriez-vous?
2. Comparez la situation de la Belgique et celle de la Suisse au niveau de la taille des pays, leur position géographique, leur situation linguistique, les conditions des travailleurs immigrés.
3. Que pensez-vous de l'obligation militaire qu'ont les Suisses? Quelle serait votre réaction si un système semblable existait aux Etats-Unis?
4. Pourquoi appelle-t-on la Suisse « le pays de la tolérance »?
5. Quelle est votre image des banques suisses? Comment imaginez-vous leurs clients?

EXERCICES DE LANGUE

1. Dans le texte, trouvez un exemple:
   a. d'une industrie de précision
   b. d'une industrie alimentaire
   c. d'une industrie agricole
   d. d'une industrie artisanale
   e. d'une industrie énergétique
   f. d'une industrie d'exportation
   g. d'une industrie touristique

2. Trouvez les mots contenus dans les mots suivants et faites une phrase avec les mots ci-dessous:

   a. horlogerie
   b. campagnard
   c. anonymat
   d. dictateur
   e. austérité

3. On appelle le 18e siècle, le *siècle des lumières.* Qu'est-ce que cette expression veut dire? Expliquez le mot *lumière* dans les expressions suivantes:

   a. Allumez la lumière, s'il vous plaît.
   b. Pauvre Jean, ce n'est vraiment pas une lumière.
   c. L'auteur jette une nouvelle lumière sur la question.
   d. Paris est la ville des lumières.

DISCUSSION / COMPOSITION

Imaginez le dialogue entre Guillaume Tell et son fils avant l'épreuve de la pomme et après.

PROJET

Faites une étude de l'histoire du chocolat. Organisez une dégustation de chocolat dans votre classe avec des chocolats suisses, belges et américains.

L'Amérique francophone

QUÉBEC

Montréal en fête.

miroir de la francophonie

en Amérique

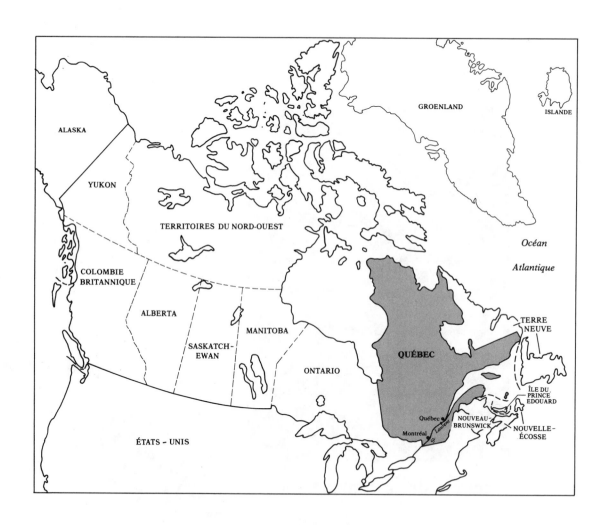

ALASKA

YUKON

TERRITOIRES DU NORD-OUEST

GROENLAND

ISLANDE

COLOMBIE
BRITANNIQUE

ALBERTA

SASKATCH-
EWAN

MANITOBA

ONTARIO

Océan

Atlantique

QUÉBEC

TERRE
NEUVE

ÎLE DU
PRINCE
EDOUARD

Québec

Montréal

St-Laurent

NOUVEAU-
BRUNSWICK

NOUVELLE-
ÉCOSSE

ÉTATS – UNIS

Comment un petit peuple de francophones a-t-il pu garder son héritage et sa langue au sein de l'Amérique anglophone? C'est l'histoire du Québec.

Le Canada comprend dix provinces. En superficie, le Québec est la plus grande. Sa population est d'un peu plus de six millions d'habitants, dont presque cinq millions de francophones. Depuis environ vingt-cinq ans, les gouvernements du Québec ont mis en priorité la protection de l'héritage francophone.

Ce pari° semble presque impossible quand on pense que ces cinq millions de francophones sont entourés de tous côtés par le Canada anglais et les Etats-Unis. Tout a poussé le Québec à se laisser assimiler à l'Amérique anglophone. Pourtant, un attachement tenace à sa langue, à sa culture, à sa « différence » a fait que ce petit groupe est resté fidèle à son passé.
wager

Il y a quelques années encore, presque la moitié de la population du Québec souhaitait une séparation du reste du Canada. Aujourd'hui, ce mouvement indépendantiste est en recul. Les Québécois semblent confiants en leur avenir au sein de la confédération canadienne. Mais, pour comprendre ce peuple et ses aspirations, il faut regarder son histoire.

Les débuts de la Nouvelle-France

Jacques Cartier: Le découvreur

Les 15e et 16e siècles étaient des siècles d'exploration. Si aujourd'hui les grandes puissances se disputent le monde de l'espace, à cette époque, les rois et reines d'Angleterre, de France, d'Espagne et du Portugal, poussaient les explorateurs à l'aventure. Le rêve: découvrir de nouveaux mondes, mais aussi les fabuleuses richesses que ceux-ci devaient contenir. C'est ainsi qu'en 1492, Christophe Colomb avait découvert l'Amérique en cherchant la route des Indes. Quelques années plus tard, Magellan se rendait en Amérique du Sud et Verrazano allait jusqu'à Terre-Neuve et la Nouvelle-Ecosse.°
Nova Scotia

Parmi les membres de l'équipage de Verrazano, il y avait un marin français de Saint-Malo en Normandie qui s'appelait Jacques Cartier.

En 1534, quand le roi François Ier a décidé de lancer une expédition vers un nouveau monde, c'est à Jacques Cartier qu'il a fait appel. Cartier est reparti à la tête de deux navires et d'une soixantaine d'hommes. Les Français sont arrivés à Gaspé, non loin de la ville actuelle de Québec. Là, Cartier a planté une croix avec un écusson° à trois fleurs de lis[1] et les mots: « VIVE LE ROI DE FRANCE ».
coat of arms

[1] A coat of arms with three fleur de lis was the symbol of French kings from 1377 to 1830.

A quoi pensaient Jacques Cartier et ses hommes en débarquant au Nouveau Monde en 1535?

La France venait de prendre possession du Canada.

Lors d'une deuxième expédition, Cartier a découvert l'embouchure° d'un immense cours d'eau qui semblait aller au cœur même de l'Amérique. C'était le 10 août, fête de saint Laurent. On a donc donné ce nom au grand fleuve.

On peut, encore aujourd'hui, imaginer Jacques Cartier s'engageant dans cette gigantesque voie d'eau inconnue. Lui et ses hommes s'attendaient à voir les pires monstres surgir des eaux ou des rives. Le bruit des canards° sauvages et d'oiseaux de toutes sortes saluait leur arrivée. Dans les bois, de chaque côté du fleuve, les ours,° chevreuils° et orignaux° effrayés par ces intrus, se sauvaient° avec fracas. Quel sort° était réservé à ces aventuriers français? Où allait les mener cette folle aventure?

mouth of a river

ducks

bears / deer / elk
fled / fate

Champlain: Le fondateur

Cartier espérait que le Saint-Laurent le mènerait à l'Asie et aux richesses que son roi lui avait demandé de ramener.

Evidemment, les choses ne se sont pas passées ainsi. Au lieu de trouver des richesses insoupçonnées, Cartier a fait connaissance avec les habitants de l'endroit: les Iroquois, la tribu la plus guerrière du Nouveau Monde. A partir de cette rencontre, il semble qu'il n'a pas eu grande envie de s'attarder dans ces terres.

La colonisation de la Nouvelle-France devait attendre plus d'un demi-siècle et l'arrivée de Samuel de Champlain qui, en 1608, a fondé la ville de Québec. Champlain n'était pas un nouveau venu mais connaissait déjà bien ce territoire, puisqu'il venait régulièrement depuis cinq ans en tant que chargé du développement et du commerce des peaux avec les indigènes.

Un jour, il a décidé de se construire une maison à Québec. C'était le début de la colonie.

Au cours des vingt-cinq années qui ont suivi la fondation de la ville, Champlain a été très actif. Il faisait une guerre constante aux Iroquois, rentrait souvent en France, où il s'est marié en 1610. (Ce n'est que dix ans plus tard cependant que sa femme a accepté de venir au Nouveau Monde.) Au Canada, Champlain a participé à de nombreuses explorations dans les Grands Lacs, a passé un hiver chez les Hurons,[2] a écrit plusieurs livres et a travaillé à mettre en place les fondations du nouveau pays.

Mais la France n'était pas la seule puissance à s'intéresser à ces nouvelles terres. Les guerres entre la France et l'Angleterre avaient déjà commencé. En 1629, les Anglais ont attaqué et conquis Québec. Mais quelques années plus tard, les Français réussissaient à reprendre la ville.

Quand Champlain est mort en 1635, la situation était loin d'être glorieuse. La petite colonie ne comptait que 150 personnes et son avenir n'était point assuré.

Maisonneuve: L'administrateur

Lorsque Paul Chomedey de Maisonneuve a quitté la France en 1642, il n'avait que trente ans. Mais ce militaire avait déjà fait la guerre en Hollande et avait fait valoir ses qualités de chef et d'administrateur. Sa mission au Nouveau Monde était religieuse. Il devait contribuer à convertir les Indiens de l'Amérique du Nord à la vie européenne et à la foi chrétienne.

En 1642, il est arrivé à ce qui s'appellerait plus tard Montréal, mais qui était encore une petite bourgade° qui portait le nom indien   village
d'Hochelaga. Maisonneuve était accompagné de quarante-huit colons, dont quarante-trois hommes et cinq femmes. Il a changé le nom d'Hochelaga et l'a appelé Ville-Marie. Un énorme problème s'est posé presque tout de suite. Les Indiens ne semblaient pas du tout disposés à se laisser convertir, ni à accepter les nouveaux venus.

Pendant plus de vingt ans, les guerres iroquoises ont fait rage. Les

[2]The Hurons were an Indian people living in parts of what is now known as Ontario and Quebec. Lake Huron is named after them.

colons ont labouré la terre, bâti des maisons, agrandi peu à peu leur ville, mais ils vivaient constamment dans la crainte de la prochaine attaque des Iroquois.

A partir de 1665, Ville-Marie a graduellement perdu sa mission spirituelle. On a rebaptisé la ville Montréal et on a continué le travail qui ferait finalement de cette ville l'une des villes les plus grandes et des plus cosmopolites d'Amérique du Nord.

Une histoire aussi faite par les femmes

A partir des années 1630 environ, de nombreux Français et Françaises ont commencé à venir s'établir au Nouveau Monde. Mais il y avait plus d'hommes que de femmes. Evidemment, les descriptions des mœurs et des coutumes des « sauvages » ne faisaient rien pour encourager les femmes à venir. On parlait de monstres marins, du froid terrible, des dangers quotidiens. On parlait aussi des périls de la traversée de l'Atlantique.

Pourtant, il y a des femmes qui ont fait face à tous ces dangers. Certaines sont venues épouser les colons, d'autres fonder les écoles, couvents, hôpitaux et autres établissements essentiels à la colonie.

Parce que les colons se plaignaient qu'ils ne trouvaient pas d'épouses, le gouvernement français s'est chargé de trouver de jeunes

Malgré les dangers, de nombreuses « filles du roi » ont quitté leur pays et sont venues coloniser la Nouvelle-France.

femmes prêtes à quitter leur pays et à coloniser le Nouveau Monde. On les appelait les « filles du roi ». Elles étaient en majorité de familles rurales; souvent elles devaient traverser une partie de leur pays à pied pour rejoindre le port d'où elles s'embarquaient. Peu de temps après leur arrivée au Canada, elles étaient mariées.

A leur arrivée à Montréal, il fallait une structure d'accueil pour ces jeunes femmes, un endroit où elles étaient en sécurité et où elles pouvaient apprendre l'essentiel pour survivre et contribuer au développement de la colonie. C'est une jeune Française de Troyes, Marguerite Bourgeoys, qui a mis sur pied ces foyers d'accueil et aussi les écoles pour les enfants des colons. Arrivée à Montréal en 1653, Marguerite Bourgeoys a aussi fondé une communauté religieuse de sœurs enseignantes. Cette communauté existe toujours au Québec.

Une autre jeune femme, Jeanne Mance, a été, avec Maisonneuve, la vraie co-fondatrice de Montréal. Très vite, elle a compris qu'un hôpital était essentiel dans cette colonie coupée de tout. Mais il fallait trouver de l'argent. Jeanne Mance est donc retournée en France faire appel à une bienfaitrice, Madame de Bullion, qui a donné les fonds pour créer l'hôpital et lui a fourni du personnel. C'est ainsi que Jeanne Mance a fondé l'Hôtel-Dieu, un hôpital qui existe encore aujourd'hui.

Marie de l'Incarnation figure également parmi les pionnières de la Nouvelle-France. Elle est arrivée en 1639 et a fondé le premier couvent des Ursulines dans la ville de Québec. Pendant trente-trois ans, elle a joué un rôle d'administratrice, de colon, de boulangère et d'institutrice. De plus, elle a écrit un dictionnaire français-algonquin et a été la confidente des administrateurs de la colonie.

Frontenac: Face au péril anglais

C'est seulement après l'arrivée du grand militaire français, le comte de Frontenac, en 1672, que la paix avec les Iroquois s'est faite de façon définitive. Mais bientôt, d'autres problèmes se sont annoncés.

En 1689, l'Angleterre a de nouveau déclaré la guerre à la France. Au Canada, Frontenac menait des raids victorieux sur des sites anglais. Les Anglais sont passés à la contre-attaque. En 1690, l'amiral anglais Phipps s'est présenté devant Québec pour conquérir la ville. Il a envoyé un émissaire à Frontenac pour lui ordonner de se rendre. La réplique de Frontenac est devenue une des phrases les plus célèbres de l'histoire du Québec: « Allez dire à votre maître que je lui répondrai par la bouche de mes canons ».

La chute de Québec

Malheureusement, ces guerres se poursuivaient, et les résultats n'étaient pas toujours aussi glorieux pour la Nouvelle-France.

En 1713, l'Acadie (aujourd'hui la Nouvelle-Ecosse) passait aux Anglais. Puis, en 1759, les troupes du général français Montcalm ont été battues par les troupes brittaniques sur les plaines d'Abraham, dans la ville de Québec. Québec a été détruite, et la bataille a continué ailleurs. Un an plus tard, Montréal tombait. La Nouvelle-France passait définitivement aux mains des Anglais.

Dans l'ensemble, la France avait mal défendu ses colonies du Nouveau Monde. Il y avait, bien sûr, des Français qui voulaient que le roi protège ces terres et ne les cède pas aux Anglais. Pour d'autres, cette perte semblait tout à fait normale. C'était l'avis du grand écrivain, Voltaire, qui disait: « J'aime beaucoup mieux la paix que le Canada... je crois que la France peut être heureuse sans le Québec ». Pour Voltaire et d'autres Français, la perte du Canada représentait la perte de « quelques arpents° de neige ».

measure of land, approx. 1 acre

C'est ainsi que la colonie française, le Canada, est devenue possession britannique. Les Anglais se sont montrés de bons vainqueurs. Ils n'ont imposé ni leur religion ni leur langue aux vaincus. Mais tout ce qui touchait le monde des affaires est passé aux Anglais.

La revanche° des berceaux°

revenge / cradles

Pendant près de deux siècles, les Canadiens-français ont gardé une vocation essentiellement rurale et agricole. La seule arme pour maintenir leur langue et leurs traditions était ce que l'on a appelé depuis « la revanche des berceaux ». C'est-à-dire qu'ils ont eu beaucoup d'enfants. Des familles canadiennes de plus de vingt enfants n'étaient pas rares. D'un peuple de quelques centaines de milliers, ils sont devenus un peuple de quelques millions.

Vive la différence!

Au moment de la Seconde Guerre mondiale, un changement a eu lieu dans la vie des Canadiens-français. Ils ont laissé leurs fermes pour aller travailler et vivre en ville. Ils ont commencé aussi à comprendre que le monde avait changé et que même s'ils représentaient la majorité de la population du Québec, ils avaient une importance minime dans la vie économique et politique de leur province et de leur pays. Les Canadiens-français, qui représentaient 80 pour cent de la population, contrôlaient seulement de 10 à 20 pour cent de l'industrie et du commerce.

Pour réussir professionnellement, ils devaient parler anglais et s'intégrer le plus complètement possible au monde anglophone.

Par tempérament, le Canadien-français est très indépendant. Graduellement la conscience d'être un peu différent des autres Nord-américains a commencé à s'imposer.

« Je me souviens, dit Michèle Lalonde, poète québécois, de la première fois où je suis allée aux Etats-Unis. On me disait, c'est bizarre, vous êtes du Canada, mais vous parlez une autre langue. » Pour Michèle Lalonde, comme pour tant d'autres, la prise de conscience° est venue vers la fin des années '50 et au début des années '60.

awakening of awareness

De Canadiens-français à Québécois: La transformation

A cette époque, le Québec cherchait une façon de s'identifier, de définir sa différence avec le Canada anglais et les Etats-Unis. Ces premières tentatives n'étaient pas toujours exemplaires. C'était une époque d'actes de terrorisme, de troubles sociaux et politiques.

Puis un travail plus sérieux sur les institutions a commencé. En particulier, on a réformé l'enseignement. Auparavant, c'était l'église catholique qui avait contrôlé tout l'enseignement au Québec. On a procédé à une laïcisation° des écoles et d'autres établissements scolaires.

secularization

La laïcisation s'est accompagnée d'une politisation des gens. Les Québécois ont commencé à se définir comme tels, en vue d'établir fortement leur identité. On a rejeté peu à peu le terme « Canadien-français », que l'on jugeait trop vague.

Le rôle de la chanson

En même temps, les artistes du Québec: chanteurs, poètes, romanciers et dramaturges, ont assumé un rôle de leaders.

C'est la chanson qui a donné l'exemple. Genre le plus accessible et le plus populaire, la chanson a su résumer les aspirations du peuple québécois.

L'ancêtre de ces chanteurs s'appelait Félix Leclerc. Né au Québec, il a eu ses premiers succès en France au milieu des années 50. Puis il est devenu prophète dans son propre pays. Ses chansons n'étaient pas engagées politiquement, mais elles étaient authentiquement canadiennes. Finies les imitations françaises ou américaines. Félix Leclerc chantait son pays, son peuple.

Son successeur s'appelait Gilles Vigneault. Résolument québécois dans ses thèmes, ses airs et ses paroles, Vigneault a même composé ce qui est devenu l'hymne national du Québec, *Gens de mon pays*.

A la même époque, d'autres voix s'élevaient pour défendre et définir la nouvelle et fragile identité québécoise. Pauline Julien, celle que

Dans la prise de conscience des Québécois, ce sont les chanteurs tels que Gilles Vigneault qui ont été les vrais leaders.

l'on a appelée la « passionara » québécoise, a su, elle aussi, capter les notes requises pour émouvoir et donner foi à son public.

Des poètes aussi

On dit que le défi, la révolution, produisent de meilleurs poètes qu'un état stable et statique. Cela est vrai du Québec. Pendant qu'en France, la poésie s'endormait tout doucement faute de « cause », au Québec, elle se réveillait.

Deux noms se détachent: ceux de Michèle Lalonde et de Gaston Miron. Tous deux ont écrit une poésie furieusement engagée. Leur but: se définir sans être anglais, sans se laisser tenter par la culture américaine, sans jouer le snobisme parisien.

Gaston Miron décrit de la façon suivante sa prise de conscience personnelle et poétique: « Mes ancêtres, dit-il, étaient des coureurs de bois,° des trappeurs, des défricheurs,° des paysans. C'est là que j'ai commencé à prendre conscience. » Puis, il s'est éloigné de son village natal, Sainte-Agathe, au nord de Montréal. Graduellement, poursuit-il, « je me sentais étranger dans mon pays. Il y avait en moi un mal-être que je ne parvenais pas à définir. Et un jour, dans une librairie, j'ai ouvert, par hasard, un livre et je suis tombé sur ces vers: ‹ Tous les pays qui n'ont pas de légendes sont condamnés à mourir de froid. › »

trappers, explorers, settlers, pioneers

Ces vers du poète français, Patrice de la Tour de Pin, allaient changer totalement son écriture. A partir de ce moment, on trouve dans les poèmes de Miron l'engagement social et le désir de se replonger dans la culture populaire de son peuple.

Aujourd'hui, que se passe-t-il au Québec?

Aujourd'hui, le Québec est passé à un nouveau moment de sa révolution. Les Québécois sont moins agressifs.

Les artistes se sentent moins obligés de « faire du patriotisme ». Diane Tell, jeune chanteuse québécoise, exprime ce sentiment de la façon suivante: « Je suis plutôt tournée vers les Etats-Unis, dit-elle, tout en étant penchée vers la France. Le Québec ressent simultanément la richesse rythmique du blues américain et la qualité de la chanson française. »

« La révolution a été faite, ajoute Gilles Rivard, chanteur lui aussi. On va maintenant vers un avenir plus sain,° plus ensoleillé. »

wholesome, healthy

Le Québec français

En 1977, le Québec a voté la charte de la langue française.° Le but de ce projet de loi était de protéger les droits° linguistiques des francophones du Québec. Le français devait devenir la langue du travail, des communications, des affaires et du gouvernement.

law or charter protecting the French language

rights

Depuis de nombreuses années, le français était en régression au Québec. C'était un fait bien connu des francophones que leur vie professionnelle allait se faire en anglais. Le français restait la langue de la famille, des amitiés, des rapports sociaux, mais tout ce qui avait un caractère officiel se faisait de plus en plus en anglais. Et ceci en dépit du fait que plus de 80 pour cent de la population avait le français comme première langue.

La charte de la langue française a fait du français la langue du travail. Dans ce sens, un employé doit pouvoir travailler en français et faire sa carrière en français. L'employeur doit communiquer en français avec ses employés francophones.

Le français est devenu aussi, par cette loi, la langue unique du commerce. C'est-à-dire que les avis publics, les affiches et panneaux publicitaires° doivent être en français et uniquement en français.

billboards

Enfin, le français est maintenant la langue officielle de l'enseignement. Tout Québécois doit pouvoir faire ses études en français. Un système scolaire anglophone existe aussi, mais les seuls enfants qui peuvent y participer sont ceux dont les parents sont anglophones, ou dont les frères ou sœurs sont déjà inscrits dans ce système.

On a reproché à cette loi de limiter la liberté de choix pour les familles d'immigrés. Selon la loi, celles-ci doivent faire éduquer leurs enfants en français, même s'ils préfèrent donner aux jeunes une forma-

Au Québec aujourd'hui, le français est la langue de travail et de commerce. Même le poulet à la Kentucky se mange en français!

tion anglophone. Ces problèmes sont en grande partie réglés aujourd'hui. Les nouveaux venus se rendent compte que le Québec veut à tout prix maintenir sa langue et que ces lois ont cette finalité.

Où va le Québec?

En 1982, les Québécois ont été invités à participer à un important référendum. Ils devaient décider s'ils voulaient que le gouvernement de la province poursuive activement sa politique d'indépendance. Une majorité a voté « Non ». Ce « Non » au référendum, allié à la crise économique de ces années-là, a ralenti la poussée vers l'indépendance. Pour l'instant, le Québec semble se tourner vers des préoccupations plus matérielles: la création d'emplois, la baisse de l'inflation. Il ne faut pas penser pour autant qu'il a renoncé définitivement à son désir d'indépendance. Une parenthèse de l'histoire du Québec vient peut-être de se fermer; elle pourra s'ouvrir de nouveau à n'importe quel moment.

COMPRÉHENSION

Trouvez dans la colonne de droite l'identification de la personne mentionnée dans celle de gauche.

<table>
<tr><td>1. Frontenac</td><td>a. a fondé les premières écoles de la Nouvelle-France</td></tr>
<tr><td>2. Voltaire</td><td>b. a découvert l'Amérique</td></tr>
<tr><td>3. Champlain</td><td>c. a été battu sur les plaines d'Abraham</td></tr>
<tr><td>4. Jeanne Mance</td><td>d. a composé l'hymne national du Québec</td></tr>
<tr><td>5. Maisonneuve</td><td>e. a défini l'identité québécoise en poésie</td></tr>
<tr><td>6. Christophe Colomb</td><td>f. a fondé Ville-Marie</td></tr>
<tr><td>7. Montcalm</td><td>g. a pris possession du Canada pour la France</td></tr>
<tr><td>8. Marguerite Bourgeoys</td><td>h. ne voyait pas l'importance du Canada pour la France</td></tr>
<tr><td>9. Gilles Vigneault</td><td>i. a fondé le premier hôpital de Montréal</td></tr>
<tr><td>10. Gaston Miron</td><td>j. a repoussé les Anglais de Québec</td></tr>
<tr><td>11. Voltaire</td><td>k. représente l'attitude des jeunes chanteurs québécois</td></tr>
<tr><td>12. Diane Tell</td><td>l. a fondé la première colonie française du Nouveau Monde</td></tr>
</table>

QUESTIONS

1. Comment la colonisation du Canada ressemble-t-elle à ou diffère-t-elle de celle des Etats-Unis? Donnez au moins trois exemples.
2. Pourquoi dit-on que la révolution du Québec a été une révolution tranquille?
3. Pourquoi les chanteurs peuvent-ils être très importants pour transmettre un message révolutionnaire? Quels autres médias sont importants? Pourquoi?
4. Comment l'attitude des jeunes chanteurs québécois diffère-t-elle de celle des chanteurs plus âgés? Pourquoi, selon vous, y a-t-il eu un tel changement?
5. Que pensez-vous de la charte de la langue française? Est-ce une bonne chose de forcer les gens à parler français? Pourquoi le gouvernement québécois a-t-il pris cette mesure?

■ *EXERCICES DE LANGUE*

1. Que veut-on dire quand on écrit que pendant des siècles, les Canadiens-français ont eu *une vocation rurale et agricole*? Dans quel sens emploie-t-on généralement le mot *vocation*?
2. Quelle différence voyez-vous dans les termes *Canadien-français* et *Québécois*? Pourquoi croyez-vous que l'un a remplacé l'autre?
3. L'expression *révolution tranquille* est une contradiction. Quels adjectifs pouvez-vous suggérer pour décrire une révolution en général?
4. Dans ce chapitre, on parle de la *revanche des berceaux*. Que veut dire cette expression? Est-ce que ce sont vraiment les berceaux qui ont pris une revanche? Faites une phrase qui utilise le mot *revanche* de façon différente.

■ *DISCUSSION / COMPOSITION*

1. Imaginez une lettre que Champlain écrit à sa femme en France lui décrivant sa vie et son travail à Québec et essayant de la convaincre de venir le rejoindre.
2. Imaginez la réponse de Madame de Champlain.

■ *PROJET*

Apportez à la classe des disques ou cassettes d'un chanteur québécois, de préférence un de ceux mentionnés dans ce chapitre.

Le Canada traverse le continent de l'est à l'ouest. Pour le Québec, cependant, l'axe nord-sud, le contact avec les Etats-Unis, est à bien des points de vue plus important que celui avec les autres provinces.

Le Québec est un des grands producteurs d'énergie hydro-électrique du monde. Depuis longtemps, des accords de vente d'énergie existent avec les Etats américains près de la frontière.

D'autres Québécois ont un contact beaucoup plus personnel avec les Etats-Unis: ils sont des milliers à passer leurs hivers sous le soleil de Floride.

Pour leur part, des millions d'Américains viennent tous les ans à la recherche de l'exotisme qu'ils trouvent au Québec francophone.

Les pôles d'attractions pour ces visiteurs sont les deux villes les plus importantes de la province: Montréal et Québec.

Montréal: La plus grande ville française du monde après Paris

Jacques Cartier, on le sait, espérait se rendre en Orient en remontant le fleuve Saint-Laurent. Quand son voyage a été arrêté par des rapides, il les a nommés: les rapides de Lachine, nom qu'ils portent encore aujourd'hui. Arrivé au village indien d'Hochelaga, il a trouvé une montagne. Il l'a escaladée dans l'espoir de découvrir de son sommet, le mystérieux chemin des Indes. Là-haut, il a planté une croix et a nommé la montagne le Mont Réal° en l'honneur de son roi.

Mount Royal

En se promenant dans le Montréal d'aujourd'hui, on retrouve des traces de son pittoresque passé.

Le Vieux Montréal, près du port, nous rappelle l'époque où le commerce des fourrures fleurissait. Jacques Cartier serait sans doute heureux de constater qu'il n'a pas été oublié. Une jolie place au cœur de la vieille ville porte son nom. Cette place et les petites rues et ruelles tout autour abondent en restaurants, cafés-terrasses, galeries d'artisanat, boutiques de souvenirs. L'été, jongleurs, mimes et acrobates donnent un air de fête à tout le quartier.

Maisonneuve, pour sa part, retrouverait dans ce quartier une statue qui lui ressemble (on l'espère du moins) et qui porte son nom. Elle se trouve devant l'église Notre-Dame, en souvenir de la mission spirituelle de son fondateur. Tout près, au sous-sol de l'église Notre-Dame-de-Bonsecours, un petit musée raconte l'histoire de Marguerite Bourgeoys.

La nuit, une croix illumine, encore de nos jours, la colline du Mont

Royal. Tout autour, il y a un immense parc boisé qui en fait un des plus jolis endroits pour les promeneurs.

La cité moderne

Montréal valorise son passé, mais ne néglige pas son présent. Avec son centre-ville moderne, ses gratte-ciel, ses banques, ses grands magasins, Montréal est une des villes les plus dynamiques d'Amérique du Nord.

En regardant ces tours de verre et d'acier, on ne se rend pas nécessairement compte qu'elles servent de bornes° à une autre ville presqu'aussi importante: la ville souterraine, réservée uniquement aux piétons.

markers

Sous ces immeubles, il existe un vaste réseau de corridors reliant plus de mille boutiques, des centaines de restaurants, de nombreux cinémas, de jardins et autres attractions, permettant aux Montréalais de défier les pires froids de l'hiver. Deux stations de métro et deux gares de chemin de fer desservent les passants et les milliers d'employés qui travaillent dans ces immeubles.

Montréal: Centre économique

La situation politique du Québec au cours des vingt-cinq dernières années a nui° à Montréal. De nombreuses sociétés anglophones dont le siège social était à Montréal ont quitté la ville pour s'installer à Toronto ou ailleurs. Toronto, d'ailleurs, a devancé Montréal en tant que métropole du Canada.

    Pourtant, depuis quelques années, Montréal a trouvé un second souffle.° La construction d'édifices commerciaux, qui s'était sérieusement ralentie, a repris: une douzaine de nouveaux gratte-ciel se sont élevés récemment.

    Montréal n'est peut-être plus la métropole ou la capitale financière du Canada, mais elle est celle du Canada français. Montréal, c'est 7.000 usines qui exportent 40 pour cent de leur production, un million d'emplois, le quatrième port d'Amérique d'où une douzaine de transatlantiques partent tous les matins, 20.000 voyageurs quotidiens dans les aérogares.

    Montréal a tout pour devenir une des grandes villes internationales.

harmed

wind

Ville de congrès

Le centre-ville a maintenant assez de nouveaux bureaux pour les années à venir. Les constructeurs et promoteurs se sont donc tournés vers la construction de nouveaux magasins. Montréal a toujours eu la réputation d'être une des villes les plus sophistiquées d'Amérique du Nord. Maintenant, avec des centaines de nouvelles boutiques dans le centre-ville, Montréal se met à l'heure de Paris et de New York.

    Les visiteurs viennent aussi en plus grand nombre, grâce, en partie, à la récente ouverture d'un très beau Palais des Congrès, situé tout près du Vieux Montréal et non loin du centre des affaires.

    Les organismes qui choisissent Montréal pour leur congrès le font à cause de sa situation géographique. « Montréal est facile d'accès d'où que l'on vienne: du pays, du continent, des quatre coins du monde, » dit la brochure promotionnelle du Palais des Congrès. On fait aussi valoir le

Craignez-vous le froid de l'hiver? Promenez-vous alors dans la ville souterraine de Montréal avec ses milliers de boutiques, restaurants et attractions.

facteur de sécurité: « Montréal est une ville à la fois pleine de vie et paisible où il est agréable de se balader° à midi comme à minuit. »   stroll

Ville sportive

Ville hôte des jeux Olympiques de 1976, Montréal a des équipements sportifs pour réjouir tous les athlètes. Mais le sport le plus populaire au Québec est incontestablement le hockey.

La longue histoire d'amour des Montréalais pour leurs équipes de championnat remonte à près de quatre-vingts ans. L'année 1910 a vu la formation du « Canadien », cette fabuleuse équipe de hockey sur glace qui a décroché sa première Coupe Stanley en 1916. Le « Canadien » a remporté depuis vingt-trois Coupes Stanley, le trophée donné à la meilleure équipe de la Ligue Nationale de Hockey. A cause de cette longue

tradition de succès, les Montréalais deviennent impatients si leur équipe connaît une ou plusieurs mauvaises années.

Ils ont à peu près la même attitude envers leur équipe de baseball, les Expos de Montréal, de la Ligue Nationale de Baseball (National Baseball League).

Le football a aussi ses fervents. Mais de plus en plus, les amateurs sont mécontents de la Ligue Canadienne et des « Alouettes » qui sont devenues une équipe médiocre. C'est ainsi que les Montréalais se sont mis dans la tête qu'ils méritaient une équipe dans la prestigieuse National Football League. On espère un jour amener le « Super Bowl » à Montréal.

Comme les Américains, les Montréalais se préoccupent beaucoup de leur forme. L'hiver, on se rend dans les montagnes Laurentides, tout près de la ville, pour le ski, le patin et tous les plaisirs de la neige. L'été, c'est le tennis, la natation, le footing.° Le marathon de Montréal, limité à   jogging
14.000 participants, est incontestablement un des grands moments sportifs de l'année.

Québec: L'attraction touristique numéro un du Canada

Son nom vient du mot indien « Kebec », qui veut dire « rétrécissement°   narrowing
des eaux », à cause de son site sur le Saint-Laurent.

La ville de Québec est l'attraction touristique numéro un non seulement de la province, mais de tout le Canada. Ses vieilles maisons des 17e et 18e siècles, ses fortifications qui l'encerclent à la façon des villes du Moyen Age, son ambiance française et la joie de vivre de ses habitants expliquent sa popularité.

Bien sûr, Québec est plus qu'une ville de carte postale. C'est la capitale de la province de Québec, le siège du gouvernement provincial.

La ville se divise en deux: la basse ville, au pied du fleuve, et la haute ville, sur la colline. Les deux sont reliées par un funiculaire.

A l'origine, la basse ville était le centre du commerce. C'est ici, à la place Royale, que Samuel de Champlain avait construit sa maison et où les premiers colons se sont installés. Aujourd'hui, ces vieux quartiers ont été restaurés. Les anciens entrepôts et les résidences ont été transformés en galeries d'art, boutiques, bureaux et restaurants.

Dans la haute ville, on voit la silhouette du château Frontenac qui domine le panorama. Le château est un hôtel de luxe construit il y a près de cent ans sur le site de la résidence des gouverneurs de Québec à l'époque coloniale. A côté de l'hôtel, une superbe promenade nous amène aux plaines d'Abraham, site de la bataille qui a livré la Nouvelle-France aux Anglais.

Des maisons des 17e et 18e siècles, une ambiance française et de bons restaurants font de Québec une ville touristique sans égale en Amérique du Nord.

« Que la joie règne! »
Voilà l'ordre du
Bonhomme Carnaval
pendant les dix jours de
fêtes annuelles à
Québec.

Le Québec en fête

« Moi, Bonhomme Carnaval, je décrète que durant toute la durée du Carnaval, la joie doit régner sur tous les visages... ». C'est par ces mots que le Bonhomme Carnaval, symbole vivant de la fête, donne le feu vert à dix jours de réjouissances dans toute la ville de Québec.

Pendant dix jours en février, jeunes et vieux, résidents et visiteurs, prennent part à toute la variété des activités carnavalesques: les défilés, les courses de canots entre les glaces du fleuve Saint-Laurent, le championnat de ski acrobatique, les courses de motocyclettes sur glace.

Le Bonhomme est le roi de la fête. On lui a créé un magnifique palais de glace, et il se promène dans les rues de Québec en semant la joie et en réussissant à faire oublier le froid de l'hiver québécois.

L'été, d'autres fêtes animent Québec. En juillet tous les ans, des artistes du monde entier: chanteurs, musiciens, acteurs, danseurs, mimes, jongleurs, prennent part au Festival d'Eté. Ces activités se déroulent en plein air; l'entrée est généralement libre.

La gastronomie québécoise

De leurs ancêtres français, les Québécois ont gardé le goût de la bonne nourriture: on aime bien manger au Québec.

Montréal, ville cosmopolite par excellence, a plus de trois mille restaurants qui représentent toutes les nationalités du monde. Québec, elle aussi, offre un choix considérable de spécialités mondiales.

La cuisine québécoise, toutefois, n'est pas seulement une imitation des autres. Il y a de nombreux plats typiques. Les experts vous diront que ceux-ci ont leur origine dans les pratiques culinaires du Moyen Age et de la Renaissance. Au temps des fêtes, par exemple, on retrouve la tourtière sur toutes les tables. Il s'agit d'une tarte au porc et au veau aromatisée d'épices variées: cannelle,° girofle,° muscade.°

cinnamon / clove / nutmeg

Dans un pays aux hivers longs et sévères, certains plats appropriés au climat sont devenus typiquement québécois: la soupe aux pois, les fèves° au lard.

baked beans

Le printemps est la saison des sucres. Dans les bois, la cabane est de nouveau ouverte. On y mange, on y chante, on y danse.

Le pays et ses premiers habitants, les Indiens, ont aussi influencé le goût des gens. Le sirop d'érable,° découvert par les Indiens, est indissociable de la vie et de la cuisine du Québec. L'une des fêtes les plus typiquement québécoises, d'ailleurs, se tient tout au long des mois de mars et d'avril. C'est la saison des sucres, le moment de l'année où la sève° des érables coule en abondance et où l'on commence à préparer le sirop et le sucre d'érable. C'est aussi l'occasion de « parties de sucre », en famille ou entre amis. On se rend à la « cabane à sucre », dans les bois. Là, on goûte le sirop, la tire° épaisse et le sucre. On danse, on chante, on mange.

maple

sap

taffy

Une grande richesse: L'énergie hydro-électrique

Le Québec a un sous-sol particulièrement riche: mines d'amiante,° cuivre,° fer,° zinc, or, argent.

Le Québec est aussi un des grands producteurs mondiaux d'énergie hydro-électrique: 99 pour cent de l'électricité de la province provient de cette source.

asbestos

copper / iron

Cette industrie en pleine expansion offre d'importantes garanties pour l'avenir de la région. Déjà le Québec a signé des contrats de vente d'énergie hydro-électrique avec l'Etat de New York. Des projets beaucoup plus ambitieux et à long terme se préparent qui feraient du Québec un très gros fournisseur énergétique pour toute la côte est américaine.

Les gens du pays

« Les gens de mon pays, chante Gilles Vigneault, sont gens de paroles et gens de causerie. » Le Québec est, certes, une région de grandes ressources. Mais, sa ressource la plus importante reste certainement la ressource humaine, des gens héritiers d'une tradition de courage et d'énergie, mais aussi de joie de vivre et d'hospitalité.

▬▬ COMPRÉHENSION

1. Quels souvenirs de la Nouvelle-France trouve-t-on dans le Vieux Montréal?
2. Quelles mesures les Montréalais ont-ils pris pour se protéger contre les grands froids de l'hiver?
3. Pourquoi Montréal n'est-elle plus la métropole du Canada? Quelles indications avons-nous que Montréal a surmonté la crise économique des récentes années?
4. Quels arguments sont avancés pour promouvoir Montréal en tant que ville de congrès? Sont-ils de bons arguments?
5. Pourquoi Québec est-elle l'attraction touristique numéro un du Canada? Comment Québec diffère-t-elle de la majorité des autres villes d'Amérique du Nord?
6. Que peut-on faire à Québec l'été? L'hiver? Quelle saison vous semble la plus agréable?
7. Qu'est-ce qu'une « partie de sucre »? A quelle saison de l'année se donnent ces « parties »?
8. Quelles sont, selon les renseignements donnés dans ce chapitre, les plus grandes richesses du Québec?

▬▬ QUESTIONS

1. Pourquoi, à votre avis, plusieurs sociétés américaines ont-elles quitté Montréal pour s'établir à Toronto?
2. Montréal a récemment construit un grand centre de Congrès. Pourquoi les villes cherchent-elles à attirer les congrès? Quelles villes de congrès connaissez-vous aux Etats-Unis? Si vous aviez à organiser un congrès, quelle ville choisiriez-vous? Pourquoi?

3. Les Expos de Montréal font partie de la Ligue Nationale de Baseball. Si vous étiez un joueur américain, voudriez-vous être envoyé à Montréal? Quels seraient les avantages et inconvénients posés par le choix de cette ville pour vous et pour votre famille?

4. Aimeriez-vous aller à une « partie de sucre »? Comment imaginez-vous cette fête? Comment les gens s'habillent-ils?

5. Quels sont les rapports entre le Québec et les Etats-Unis? Que pensent les Américains du Québec? A votre avis, que pensent les Québécois des Etats-Unis?

■■■ EXERCICES DE LANGUE

1. Dans ce chapitre, on dit que « Québec est plus qu'une ville de carte postale ». Que veut dire cette expression? Suggérez une autre façon de communiquer la même idée.

2. Gilles Vigneault dit: « Les gens de mon pays sont gens de paroles et de causerie. » Qu'est-ce que ces mots nous apprennent au sujet des Québécois?

3. A Montréal, le football a ses *fervents*. Que veut dire ce mot? Quels synonymes pourrait-on employer pour dire la même chose?

4. C'est le Bonhomme Carnaval qui *donne le feu vert* aux réjouissances du Carnaval de Québec. Expliquez cette expression. Faites deux phrases différentes qui utilisent cette expression.

■■■ DISCUSSION / COMPOSITION

1. Vous êtes maire de Montréal et vous voulez encourager une société américaine à venir s'établir dans votre ville. Quels arguments utilisez-vous pour la convaincre?

2. Une famille québécoise vous invite à vous rendre à Québec pour le Carnaval. Ecrivez une lettre les remerciant et leur posant au moins trois questions précises au sujet de votre visite.

■■■ PROJETS

1. Apportez un journal de Montréal à la classe. (On trouve ces journaux dans les librairies qui vendent la presse internationale).
   a. Expliquez à la classe quelles semblent être les préoccupations des Montréalais d'après les titres et articles de ce journal.
   b. Expliquez en quoi les pages sportives ressemblent aux pages sportives américaines et en quoi elles en diffèrent.

2. Faites une présentation orale sur la ville de Québec ou sur le Vieux Montréal en utilisant des photos, des dépliants touristiques, des diapositives ou autres documents.

L'Afrique

AFRICA N°1

الشركة التونسية للبنك

STB SOCIETE TUNISIENNE DE BANQUE
50 AGENCES A VOTRE SERVICE

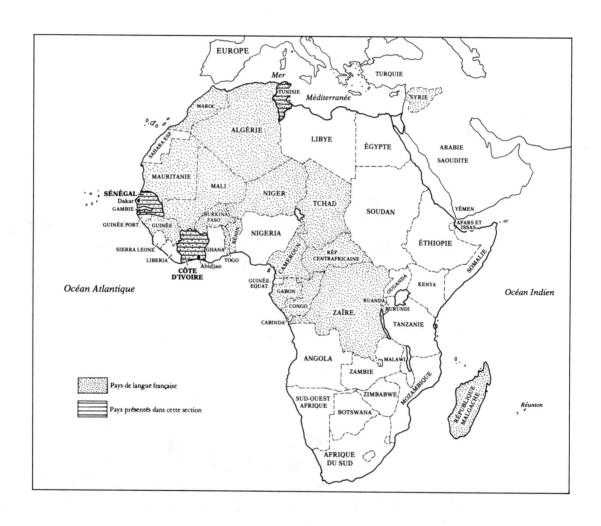

Comment connaître un continent qui comprend une cinquantaine de pays, où des centaines de langues sont parlées, où les différences de race, de religion et d'affinités culturelles sont multiples? Comment, en effet, saisir l'unité de ce continent mentionné dans les journaux américains seulement quand il y a des catastrophes naturelles ou des problèmes politiques et sociaux?

Comme point de départ, on peut séparer le continent en deux. La première partie, l'Afrique du Nord, a été peuplée par les Arabes dès le 7e siècle. Dans ces pays, les gens sont de race blanche, et la religion est l'islam. Certains de ces pays, notamment le Maroc, l'Algérie et la Tunisie, ont appartenu à la France au cours de leur histoire récente et, pour cette raison, le français y est toujours parlé.

Au sud du Sahara, le plus grand désert du monde, se trouve l'Afrique noire. Ici aussi, de nombreux pays ont été colonisés par la France du 16e au 19e siècles. Ils sont restés français jusqu'en 1960 environ, quand ils ont déclaré leur indépendance.

Parmi ces pays, il y a, entre autres, le Sénégal, la Côte-d'Ivoire, le Cameroun, le Tchad, le Gabon. Même aujourd'hui, ils maintiennent des liens étroits avec la France.

Le choc européen

Nous connaissons mal le monde africain tel qu'il était avant l'arrivée des Européens. Parce que les structures sociales, les coutumes et l'attitude envers la vie, la mort, le monde en général, étaient différentes de celles que les Européens connaissaient, ceux-ci ont arbitrairement décidé que les Africains étaient des êtres primitifs, dépourvus d'intelligence ou même de sentiments.

Nous savons que bien avant l'arrivée des blancs, l'Afrique avait des civilisations d'une richesse extraordinaire. Ces sociétés bénéficiaient d'une organisation socio-politique des plus sophistiquées, de routes et de réseaux d'échanges commerciaux à l'intérieur de l'Afrique ainsi qu'avec l'Orient et l'Inde, d'une vie culturelle et artistique très évoluée.

Les ethnologues° d'aujourd'hui reconnaissent que l'Afrique est très vraisemblablement le berceau de notre civilisation. Des fouilles° et études ont révélé que l'ancêtre de l'homme actuel vient probablement du continent africain.

Quand les Européens sont arrivés, ils ont bouleversé l'ordre africain, ils ont détruit en grande partie les sociétés existantes et ils ont cherché à imposer de nouvelles structures politiques, sociales et philosophiques. Il en a résulté un choc dont l'Afrique a du mal à se remettre.

ethnologists *(specialists in the beginnings, the evolution, the social structures of a people)*

excavations

On n'y pense pas toujours, mais la majorité des Africains sont musulmans. L'influence arabe sur le continent noir remonte au 7e siècle.

L'époque de grandeur et de déclin

Les Arabes se sont implantés en Afrique du Nord au 7e siècle. Comme ils étaient d'excellents commerçants, ils ont graduellement cherché le contact avec les peuples d'Afrique noire. Ils ont trouvé des royaumes très évolués au Bénin, au Mali, au Ghana et ailleurs.

Ce contact avec la civilisation musulmane° a été enrichissant pour le monde noir. Il lui a permis d'ouvrir des routes commerciales à travers le continent, développant ainsi les échanges et le commerce avec de nombreux pays. C'est à cette époque également que la religion islamique a été adoptée par bon nombre d'Africains.

Moslem

Malheureusement, la période de grandeur a été suivie par une période de déclin. Parmi les biens échangés et vendus sur ces routes marchandes, il y avait de nombreux esclaves.°   slaves

Même avant le 14e siècle, des chefs africains prenaient des esclaves comme symbole de leur puissance. Graduellement, au fur et à mesure que les Européens ont développé de nouveaux mondes, la demande d'esclaves a augmenté. A la fin du 18e siècle, par exemple, environ 100.000 esclaves partaient chaque année travailler dans les plantations de coton aux Etats-Unis, de café au Brésil et de canne à sucre dans les îles antillaises.

Cette traite° et la perte de population qu'elle a entraînée ont con-   slave trade
tribué au déclin culturel, économique et politique de l'Afrique.

La période coloniale

C'est aux 16e et 17e siècles, époques des grandes explorations, que les Européens ont découvert l'Afrique: les Portugais, puis les Anglais, les Hollandais et les Français. Ces derniers se sont installés d'abord au Sénégal et en Guinée. C'est seulement au 19e siècle qu'ils se sont aventurés vers l'intérieur du continent. Là, ils ont trouvé des peuples divisés, des structures sociales affaiblies, une population décroissante.

Puisque l'Afrique était riche en or et en ivoire, chaque pays européen était prêt à faire la guerre aux autres pour s'approprier une partie du continent noir.

Les peuples colonisateurs ont immédiatement adopté une attitude très supérieure face aux Africains, qu'ils voyaient comme une population primitive. Chaque pays a jugé important d'imposer son système gouvernemental, sa religion, son système d'enseignement, ses institutions sociales. Les Africains qui voulaient se tailler une place dans cette société coloniale devaient devenir aussi européens que possible.

Finalement, l'élite africaine formée aux écoles et universités européennes a rejeté le maître colonial et a mené les divers pays vers l'indépendance, essentiellement entre 1956 et 1968. Ces indépendances ont été acquises pour la plupart sans violence.

Quelques principes de l'organisation sociale de l'Afrique noire traditionnelle

Les griots: La mémoire de l'Afrique

« Quand un vieux meurt en Afrique, c'est une bibliothèque qui brûle. » La vraie histoire des Africains, c'est par la tradition orale qu'elle a été transmise. On appelle les conteurs africains des « griots ».

Selon la tradition africaine, les chefs assurent le gouvernement de la tribu. Ils sont aussi le lien entre le monde des ancêtres et le monde visible.

Traditionnellement, ils étaient attachés à une famille et racontaient, aux occasions de fêtes et de réunions, les hauts faits des ancêtres et des membres actuels de la famille. Ils avaient tendance à embellir un peu la réalité. En dépit de ceci, les griots sont des livres d'histoire parlants.

Cette littérature résume la sagesse et la morale des peuples noirs. Mais à l'origine, elle était le moyen que les anciens avaient de transmettre aux jeunes l'histoire de la création du monde, celle de la tribu, l'origine des lois sociales, des croyances religieuses, la structure politique. Elle expliquait la provenance des divers produits, les relations avec d'autres tribus, le rôle de l'individu dans la société, la fondation du village, les liens totémiques° entre un animal et un clan, bref, le cycle complet de l'enseignement du jeune Africain.

(from *totem*) the link between an individual and
a certain animal

La filiation

L'Africain se définit d'abord par sa filiation (paternelle ou maternelle selon les tribus). Ainsi l'importance des ancêtres, qui restent présents même après leur mort. L'Africain se voit comme faisant partie d'une lignée,° d'une suite ininterrompue. Il peut communiquer avec ses ancêtres et eux avec lui.

lineage

La famille

La polygamie était et est encore acceptée en Afrique. Le but de ce système est de perpétuer la filiation. Le contexte familial africain est tout à fait différent de celui que nous connaissons. Dans la société africaine traditionnelle, chaque femme a sa propre case ou maison. De nombreux rapports familiaux sont ainsi établis: le mari avec ses diverses femmes, les femmes entre elles, les enfants avec leur mère, leur père, les autres femmes de leur père, leurs demi-frères et sœurs. Quand il est petit, l'enfant a un rapport très étroit avec sa mère. La mère le protège et l'aime. L'enfant doit respect et obéissance à son père.

Ainsi le jeune Africain faisait partie d'un très vaste réseau familial où il avait sa place et son rôle précis. Il se définissait comme membre d'une collectivité plutôt que comme individu. L'homme individuel était moins important que l'homme qui faisait partie d'une chaîne de générations. C'est une mentalité qui contraste avec le concept américain et européen.

La nature

Les sociétés africaines traditionnelles étaient des sociétés d'agriculteurs ou de chasseurs. L'homme était à la merci de la nature. Il lui était donc

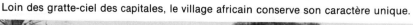

Loin des gratte-ciel des capitales, le village africain conserve son caractère unique.

très important de développer un sens d'harmonie avec les forces de la nature, de participer à ces forces plutôt que de lutter contre elles. Cette attitude a contribué à l'élaboration de toute une série de rites, de croyances° et d'actions.

beliefs

La magie et la sorcellerie

La magie, c'est-à-dire les mots, gestes, objets, rites qui ont une force spéciale, avait un but social acceptable. La sorcellerie représentait des forces spéciales dirigées contre quelqu'un. Les sorciers étaient donc généralement mauvais.

Les rites d'initiation

Les enfants apprennent par les contes et les légendes la base de leur héritage social. Mais avant d'accéder à l'âge adulte, il faut être initié. Pour la plupart des peuples africains, l'initiation pour les garçons était la circoncision et pour les filles, l'excision. Ces rites comprenaient une longue période à part des autres membres de la tribu pendant laquelle on instruisait les jeunes.

Le gouvernement

L'Afrique traditionnelle avait, à sa base, la croyance que le chef de la communauté était l'intermédiaire entre le monde visible et le monde invisible. Il était l'intercesseur officiel auprès des ancêtres, et c'était par lui que les vivants recevaient le flux vital, l'énergie de la vie.

Le chef représentait une autorité charismatique qu'il exerçait dans toutes les manifestations de la vie communautaire, y compris dans le domaine technique et économique. C'était lui qui faisait germer les graines,° par exemple.

caused the sprouting of the seeds

Ces structures ont évidemment été bouleversées par la présence des Européens qui ont imposé leur vision de la vie et leurs propres structures à ce modèle africain.

L'Afrique aujourd'hui

Ces préceptes restent à la base de la pensée africaine. Dans le village tout semblait clair, et la vie s'ordonnait autour d'un ensemble de traditions familiales, sociales et religieuses. Mais transposées dans le contexte de la grande ville, les choses ne sont plus aussi évidentes.

L'exode vers les villes est une caractéristique de l'Afrique contemporaine. L'Africain qui arrive de la campagne trouve des villes qui ne sont pas structurées pour accueillir le nouveau-venu. Le logement est

Hier comme aujourd'hui, dans les villes et villages d'Afrique, le marché est le lieu de rencontre par excellence.

insuffisant; les conditions sanitaires sont généralement inadéquates; le travail est difficile, sinon impossible à trouver.

Dans la cité moderne, l'individu ne fait plus partie d'une collectivité. C'est chacun pour soi. L'harmonie traditionnelle entre l'homme et la nature n'existe plus. Dans les villages de l'Afrique traditionnelle, l'écart entre les riches et les pauvres était imperceptible. Dans les villes de l'Afrique moderne, il prend des proportions démesurées.

L'élite africaine, cultivée, aisée, représente environ 1 pour cent de la population. Pour les autres, la seule question est: comment survivre, comment se débrouiller?

L'Afrique demain

La situation économique de l'Afrique est un de ses plus grands problèmes. Au début des années 80 et jusqu'en 1985, le continent a souffert d'une grande sécheresse qui a retardé son développement économique. Le retour des pluies a contribué à rétablir l'équilibre, mais le secteur agro-alimentaire africain est celui qui exige l'attention la plus immédiate des responsables africains et mondiaux. Puisque la population du continent croît, il faut augmenter le rendement agricole afin de nourrir les gens et d'améliorer leur niveau de vie.

En dépit des problèmes, le continent africain a d'importantes plantations d'arachides,° de café, de cacao. Il a aussi des ressources minières telles que le cuivre, les diamants, des métaux rares ou précieux. Certains pays sont riches en pétrole. Mais, les structures économiques de l'Afrique actuelle sont, en grande partie, le résultat de la présence coloniale.   peanuts

En somme, l'Afrique a des ressources mais n'a pas les industries de transformation de ces matières premières. Souvent, les pays n'ont pas les moyens de créer les usines nécessaires à la diversification de leurs industries. Ces problèmes sont à la base du développement du tiers monde, dont l'Afrique fait partie.

Si elle réussit, avec l'aide des pays développés, à se donner les structures économiques requises, l'Afrique de demain pourra renouér avec ses traditions passées et apporter au monde une contribution jusqu'ici ignorée.

COMPRÉHENSION

1. Comment peut-on diviser l'ensemble du continent africain? Quelles différences fondamentales existent entre les deux parties?
2. Comment était l'Afrique avant l'arrivée des Européens? Comment ces derniers ont-ils transformé le continent?
3. Quelles ont été certaines contributions des Arabes à l'Afrique noire?
4. Pourquoi appelle-t-on les griots des bibliothèques parlantes? De quoi parlent-ils? A qui?
5. Comment la famille traditionnelle africaine diffère-t-elle de la famille américaine?
6. Quelle est la différence entre la magie et la sorcellerie selon les indications données dans ce chapitre?
7. Comment le mouvement vers les villes a-t-il bouleversé les traditions africaines?
8. Quels sont les problèmes les plus importants de l'Afrique contemporaine?

QUESTIONS

1. Quels sont certains des stéréotypes associés à l'Afrique et aux Africains? D'où viennent ces idées?
2. Que savez-vous sur les esclaves qui sont venus aux Etats-Unis? Dans quelle région du pays ont-ils été envoyés? Quelles étaient leurs occupations? Quand et pourquoi ont-ils cessé d'être esclaves?

3. Comment la découverte et le développement de nouveaux mondes ont-ils contribué au commerce d'esclaves?
4. Comparez le rôle des ancêtres dans la société traditionnelle africaine et dans la société américaine.
5. Pourquoi, à votre avis, est-ce qu'il y a un grand mouvement vers les villes sur le continent africain?

▬ EXERCICES DE LANGUE

1. Dans ce chapitre, on dit que l'arrivée des Européens a créé un choc en Afrique. Que veut dire le mot *choc* dans ce contexte? A l'aide d'un dictionnaire, trouvez d'autres usages du mot *choc*.
2. Puisque de nombreux pays africains ont été des colonies européennes, on utilise souvent les mots suivants: *coloniser, colonisateur*. Quelle est la différence entre ces deux mots? Qui étaient les peuples colonisés? Qui étaient les peuples colonisateurs?
3. On dit que les griots avaient tendance à *embellir la réalité*. Que veut dire cette expression? Exprimez la même idée de façon différente.
4. L'homme, dans l'Afrique traditionnelle, était *à la merci* de la nature. Faites deux autres phrases qui utilisent cette expression.
5. L'Africain se définit en tant que membre d'une collectivité. Dans la section *Quelques principes de l'organisation sociale de l'Afrique noire traditionnelle*, trouvez des termes qui impliquent une *collectivité*.

▬ DISCUSSION / COMPOSITION

Vous êtes un étudiant africain aux Etats-Unis. Expliquez à la classe quelles étaient les valeurs traditionnelles de l'Afrique.

▬ PROJET

Organisez une petite exposition d'art africain, soit avec des objets, soit avec des illustrations. Indiquez ce que représentent les objets choisis.

Tunisie, carrefour entre l'Orient et l'Occident », disent les brochures touristiques. Il est vrai que depuis trois mille ans, la Tunisie a été la terre de rencontre entre les peuples du Moyen-Orient et de la Méditerranée. Des invasions phéniciennes, romaines, vandales, byzantines, arabes, espagnoles, turques et, plus récemment, françaises, ont donné à la Tunisie une histoire et des traditions des plus variées.

Elles ont aussi laissé leur trace sous forme de monuments ou de sites historiques. Il y a, en Tunisie, plus de deux cents sites romains, par exemple, et les archéologues n'ont pas encore tout trouvé.

Les noms des villes tunisiennes révèlent ces multiples héritages. Certains sont d'origine arabe ou berbère, d'autres latine, espagnole ou française.

Depuis 1957, la Tunisie est un pays indépendant de plus de six millions d'habitants. C'est un pays jeune, placé au centre d'un des points chauds de la terre, un pays qui tente de définir sa place entre l'Occident et l'Orient.

Sur les traces d'Hannibal

Qui ne connaît l'histoire d'Hannibal, l'orgueilleux général de Carthage? C'est une histoire que l'on a racontée dans de nombreux livres et dont on a fait plusieurs films.

Fondée par les Phéniciens huit cents ans avant notre ère, Carthage se situait à la pointe nord de ce qui est aujourd'hui la Tunisie. Elle est devenue la capitale d'une puissante et fière république. Ses navigateurs ont créé des colonies en Sicile, en Espagne et ailleurs.

Mais Carthage la Glorieuse avait une ennemie mortelle, Rome

Que de chapitres à l'histoire de la Tunisie! Ces ruines nous racontent celui des invasions romaines.

l'Ambitieuse. Les deux allaient se livrer des guerres sans merci pendant plus de cent ans.

Un des grands héros de Carthage, Hannibal, pensait avoir trouvé le moyen de vaincre Rome une fois pour toutes. Logiquement, si les Carthaginois voulaient attaquer l'Italie, ils le feraient par la mer. Mais Hannibal a trouvé une autre façon. Il s'est rendu d'abord en Espagne avec une armée de 100.000 hommes et 37 éléphants. Son projet était d'aller en Italie par voie de terre et de prendre les Romains par surprise. Pour réussir, il fallait traverser les Pyrénées, des montagnes qui semblaient infranchissables pour une si grande armée et... des éléphants.

Le projet d'Hannibal n'a réussi qu'à moitié. La traversée a été terrible. Il a perdu la moitié de son armée. Arrivé en Italie, il a remporté quelques brillantes victoires, mais a été obligé de repartir avant une victoire définitive.

Cinquante ans plus tard, en l'an 146 av. J.-C., les Romains ont eu leur vengeance. Ils ont assiégé Carthage et ont tué tous ses habitants. Puis ils ont brûlé ce qui restait de la ville. Après, la terre a été labourée, et on y a répandu du sel pour la rendre infertile. Les Romains ont juré que Carthage ne serait jamais plus habitée.

Tunis aujourd'hui

Comme de nombreuses autres malédictions historiques, celle des Romains a été de courte durée. Carthage allait renaître de ses cendres et redevenir une ville prospère et puissante.

Aujourd'hui, tout près du site historique de Carthage se trouve Tunis, une capitale ensoleillée de plus d'un million d'habitants.

Cité administrative, Tunis est aussi une station balnéaire, une cité riche des trésors de l'antiquité, une ville où le visiteur découvre de pittoresques vieux quartiers arabes.

Cette allée bordée de palmiers ne semble-t-elle pas nous mener tout droit vers le soleil et la mer? Tout près du site historique de Carthage, le Tunis d'aujourd'hui est une ville moderne et ensoleillée.

La Médina.   De nombreuses villes tunisiennes offrent au visiteur ce contact intime avec le monde arabe que l'on trouve dans la Médina. Ce mot veut simplement dire « ville ». On l'utilise pour désigner les anciennes villes avec leurs hauts murs à l'intérieur desquels les voyageurs d'une autre époque se hâtaient avant la tombée de la nuit.

Le voyageur moderne entre à la Médina à la recherche de dépaysement et d'exotisme. Il est rarement déçu.

Toutes les Médinas sont un ensemble de mosquées et de palais anciens. A Tunis, on compte sept cents monuments de ce genre. Mais la Médina, c'est aussi un labyrinthe de rues étroites, le monde des « souks ». Ce mot arabe signifie « marché ». Les souks ont de toutes petites ruelles qui, à l'origine, servaient à les protéger contre les voleurs et les envahisseurs. Le visiteur moderne doit, aujourd'hui encore, faire attention de ne pas se perdre.

La promenade au hasard permet de découvrir les richesses de l'artisanat tunisien: travail sur le cuir, le bois, le fer, ou encore de très jolies poteries et de superbes tapis. Dans les souks, la tradition veut que l'on marchande et que l'on n'accepte pas le premier prix demandé par le vendeur. Les guides touristiques suggèrent qu'un tiers du prix demandé constitue un bon point de départ pour ces négociations.

La rive nord.   La rive nord de Tunis, l'ancien site de Carthage, est aujourd'hui une banlieue° aisée et un important centre touristique. La Goulette, le port de Tunis, est une station balnéaire animée. Carthage offre, bien sûr, les vestiges de son glorieux passé.

suburb

A côté de Carthage, les visiteurs ont plaisir à découvrir le village mauresque° de Sidi Bou Said, un petit village traditionnel, tout blanc, qui semble être à l'abri du modernisme.

Moorish

L'arrivée de l'islam: Kairouan et sa source° miraculeuse

spring, fountain

Au 7e siècle, une nouvelle religion allait conquérir l'Afrique de Nord, une partie de l'Europe et de l'Afrique noire. C'était l'islam, prêché d'abord par le prophète Mahomet (ou Muhammad), originaire de La Mecque en Arabie Saoudite.

En Tunisie, et plus particulièrement dans la ville de Kairouan, l'arrivée de l'islam a été marquée par un miracle. C'est du moins ce que dit la légende.

Celle-ci raconte qu'un compagnon du prophète Mahomet, le guerrier Ogba Ibn Nofii, faisait la guerre aux Berbères.[1] L'armée d'Ogba s'était arrêtée dans une vallée dangereuse, remplie de bêtes hostiles.

[1] A mountain people of North Africa, Berbers are now Muslims but have retained many of their original customs and dialects.

Face à ces dangers, les troupes avaient peur de continuer leur route. Leur chef a invoqué alors un miracle. Peu de temps après, on a trouvé une coupe en or qui aurait été perdue à La Mecque. De la coupe a jailli° une source miraculeuse. Rempli d'inspiration, Ogba a alors adressé un discours enflammé aux bêtes fauves° de la vallée, leur donnant l'ordre de partir et de faire place aux conquérants, les soldats du prophète.

spouted

wild

    La légende veut qu'après cet exode on ait décidé de construire sur ce site miraculeux une ville sainte, un lieu protégé pour les armées musulmanes. On a donné à cette ville le nom de « Kairawane », qui veut dire « campement ». Le mot « caravane » en est dérivé.

Un haut lieu de l'islam

Très vite la nouvelle ville s'est développée pour devenir un grand centre spirituel de la religion musulmane du Maghreb (la section de l'Afrique du Nord qui comprend le Maroc, l'Algérie et la Tunisie).

La ville de Kairouan est-elle née d'un miracle? Ce qui est certain c'est que depuis plus de mille ans, Kairouan est un haut lieu de la religion islamique.

C'est au 9e siècle que Kairouan a connu son âge d'or. Constructeurs et artisans ont créé pour elle de superbes monuments. Sa Grande Mosquée est l'une des plus belles du monde musulman. Autour de la Grande Mosquée, il existe non moins de cinquante autres mosquées dans la Médina ou quartier arabe de Kairouan.

Quelques principes de la religion musulmane

Pour les 450 millions de musulmans du monde, il n'y a qu'un seul Dieu, Allah. Mahomet est son dernier prophète.

Tous les jours, les musulmans doivent prier cinq fois, tournés vers La Mecque. Et une fois dans leur vie, ils doivent faire un pèlerinage à La Mecque. Un seul lieu, Kairouan, visité sept fois, dispense du pèlerinage à La Mecque.

Les ministres de la religion s'appellent des imans et les théologiens, des utémas. Les confréries ou associations religieuses jouent un rôle politique aussi bien que religieux.

En pays islamique, la source de toute loi, de toute morale, de toute organisation administrative est le Coran, le livre sacré des musulmans, transmis par Dieu à Mahomet.

Un pays de vacances et de fêtes aussi

Il ne faut pas croire que ces siècles d'histoire et de sacré aient enlevé aux Tunisiens l'envie de s'amuser. Tout au contraire, ici les fêtes sont fréquentes et joyeuses. Les fiançailles et les mariages sont l'objet de grandes réjouissances. D'autres fêtes sont rattachées plus particulièrement à la religion musulmane.

A Kairouan, par exemple, on fête tout particulièrement le Mouled, ou anniversaire du Prophète. La ville décore ses murs de tapis et de guirlandes. Les souks sont illuminés jour et nuit pour accueillir les promeneurs qui viennent de partout se joindre aux Kairouanais.

Et partout on mange. Dès le matin, pour annoncer le début du Mouled, on mange de l'acida, un mets sucré fait d'une purée de graines de pins, recouverte de crème et décorée de noisettes, de pistaches et de poudre d'amandes. Plus tard, on déguste le makroudh, une pâte farcie° de dattes et trempée dans le miel.   stuffed

Mais toutes les fêtes ne sont pas religieuses. Dans les villages, on célèbre aussi la moisson° et la cueillette° des olives. Tout le village se réunit pour une « zarda », un grand banquet campagnard. On mange un couscous;° on joue de la flûte et de la cornemuse;° on fait danser son cheval au son du tambour.

harvesting / gathering

North African dish, based on crushed grain and served with pieces of meat and vegetables / bagpipe

Dans la région du pays que l'on appelle « Le Grand Sud », on fête le chameau° et on raconte son périple à travers le désert. Dans ce pays où le désert est si important, de nombreuses festivités sont organisées autour du chameau, un animal indispensable dans le désert. Pour les touristes, une promenade en chameau fait partie des activités du voyage.   camel

Dans d'autres villes, on organise des festivités en l'honneur du cheval arabe.

A Carthage, tous les deux ans, on présente une fête à orientation plus moderne: les Journées Cinématographiques, au cours desquelles les meilleurs films du monde sont projetés.

Pourquoi parle-t-on français en Tunisie?

Bien que la langue officielle de la Tunisie soit l'arabe, les centaines de milliers de Français qui se rendent tous les ans en Tunisie profiter du soleil et des plages, n'ont aucun mal à se faire comprendre—sauf par les très jeunes et les très vieux dans les régions éloignées.

Dans tout le pays, les indications routières sont données dans les deux langues. A Tunis et dans les grandes villes, les noms des rues et les affiches publicitaires sont bilingues. L'enseignement se fait souvent en français et en arabe. Cela s'explique par le fait que de 1881 à 1956, la Tunisie était française. Mais la France était déjà impliquée dans l'administration de ce pays depuis 1830.

A cette époque, la Tunisie avait passé plusieurs siècles aux mains des Turcs et était gouvernée par un « bey », gouverneur désigné par le sultan turc. Ces beys avaient atteint un bas niveau de décadence.

En 1830, les Français se sont installés en Algérie, pays voisin de la Tunisie, et ils se sont peu à peu infiltrés dans l'économie tunisienne. Des banques et entreprises françaises ont graduellement pris le contrôle des finances du pays. En 1881, les Français ont forcé le bey à signer un « Traité de Protection » avec la France. La Tunisie devenait officiellement un « protectorat français », c'est-à-dire, une colonie.

En 1942, pendant la Seconde Guerre mondiale, les Allemands ont occupé la Tunisie. En 1943, une importante victoire des Alliés la libérait, et elle est redevenue française.

Mais la guerre avait révélé aux Tunisiens un nouveau chef nationaliste, Habib Bourguiba. Le dur parcours vers l'indépendance commençait—parcours qui a compris des attaques et des atrocités de la

La Tunisie est indépendante depuis 1957, mais dans les grandes villes, les noms de rues et les affiches sont généralement bilingues: arabe et français.

part des Français. En 1956, Bourguiba est devenu le chef de son pays et a négocié l'indépendance avec la France. Un an plus tard, en 1957, la Tunisie était proclamée République indépendante.

La Tunisie aujourd'hui et l'après Bourguiba

Puisque l'indépendance tunisienne avait été si difficile à obtenir et que les relations avec la France étaient particulièrement mauvaises, les premières années de la nouvelle république ont été très dures. Mais grâce au prestige de Bourguiba, de nombreux pays, dont les Etats-Unis et le bloc communiste, ont appuyé le nouveau régime.

A partir de 1957 et pendant plus de trente ans, la Tunisie n'a connu qu'un seul chef, Habib Bourguiba, le père de la patrie. Resté au pouvoir trop longtemps, Bourguiba n'a pas su, au cours des dernières années de sa présidence, assurer une transition efficace avec son successeur. Ces dernières années ont été difficiles pour le chef d'Etat et pour son pays.

En dépit des progrès, la Tunisie reste un pays à l'économie fragile, un pays qui réunit toutes les contradictions du monde arabe. D'une part, il y a un courant islamique conservateur. D'autre part, il y a un désir d'entrer de plein pied dans le monde moderne laïque. Bien qu'indépendante depuis plus de trente ans, la Tunisie reste à cheval entre le monde arabe et la culture française.

Au cours de son mandat, le président Bourguiba a tenté de maintenir des relations amicales avec les deux grandes puissances mondiales, les Etats-Unis et l'Union Soviétique, et de respecter l'unité du monde arabe.

Cet équilibre est souvent difficile à maintenir. La Tunisie a comme voisin la turbulente Lybie, dont les relations avec les Etats-Unis sont dés plus hostiles. Les Tunisiens se sentent souvent pris entre deux feux. D'une part, la Lybie voudrait d'eux des preuves de soutien et menace d'annexer leur pays si ces preuves lui sont refusées. D'autre part, si les Etats-Unis ou Israël attaquent la Lybie, la Tunisie risque d'en subir les conséquences.

Ces problèmes, ainsi que la difficile succession de Bourguiba après de si longues années au pouvoir, doivent se régler pour que la Tunisie se développe comme elle souhaiterait le faire.

▬ COMPRÉHENSION

Indiquez si les commentaires suivants sont *vrais* ou *faux*.

1. La Tunisie est indépendante seulement depuis 1957.
2. Hannibal était un général de Carthage qui a battu les Romains de façon définitive en Espagne.
3. Après la victoire des Romains, Carthage n'a jamais plus été habitée.
4. Tunis est une ville touristique riche en trésors du passé.
5. La Médina est une ville sacrée où les touristes n'ont pas le droit d'aller.
6. Dans les souks, on trouve de l'artisanat tunisien tel que le travail sur cuir et des tapis.
7. La Mecque est le haut lieu de l'islam parce que c'est le lieu de naissance du prophète Mahomet.
8. Le livre sacré de l'Islam, le Coran, contient uniquement des préceptes religieux.
9. Depuis l'indépendance, la majorité des Tunisiens refusent de parler français.
10. Celui que l'on appelle le père de la patrie, Habib Bourguiba, n'a jamais été président.
11. La Tunisie a toujours essayé de garder des rapports cordiaux avec les Etats-Unis et l'Union Soviétique.
12. La proximité de la Lybie cause des problèmes majeurs à la Tunisie.

▬ QUESTIONS

1. A votre avis, quelles sont les richesses de la Tunisie? Quels aspects de ce pays vous semblent les plus intéressants? Les plus déconcertants? Qu'est-ce que vous aimeriez visiter en Tunisie?
2. Quelle est l'importance de l'islam dans le monde? Aux Etats-Unis? Croyez-vous qu'à l'avenir cette religion prendra plus d'importance aux Etats-Unis?
3. La Mecque et Kairouan sont des lieux sacrés de l'Islam. Quels sont les lieux sacrés du christianisme? Du judaïsme? Du bouddhisme?
4. Quelles sont les relations de la Lybie et des Etats-Unis? Pourquoi? Quelle doit être l'attitude de la Tunisie face aux Etats-Unis et face à la Lybie?
5. Quels autres pays arabes connaissez-vous? En quoi sont-ils semblables à la Tunisie? En quoi diffèrent-ils d'elle?

▬ EXERCICES DE LANGUE

1. Le verbe *marchander* veut dire *essayer d'obtenir le meilleur prix*. Faites deux phrases qui utilisent ce verbe.

2. Dans leurs rapports avec les Etats-Unis et la Lybie, les Tunisiens se sentent pris *entre deux feux.* Faites deux phrases qui utilisent cette expression.

3. Quels mots sont contenus dans les mots suivants:

   a. dépaysement   c. renaître
   b. infranchissable   d. touristique

   Faites une phrase avec les mots ci-dessus.

4. Le mot *caravane* est dérivé du nom *Kairouan* et à l'origine voulait dire *campement.* Que veut dire le mot *caravane* aujourd'hui? Consultez un dictionnaire et donnez deux définitions de ce mot.

▬ DISCUSSION / COMPOSITION

1. Imaginez les vacances d'un touriste français en Tunisie. Qu'est-ce qui l'intéresse? Etablissez son emploi du temps pendant deux ou trois jours.

2. Ecrivez une lettre à l'Office du Tourisme tunisien lui demandant de vous envoyer des brochures ou d'autres renseignements afin de vous aider à préparer un voyage en Tunisie.

▬ PROJETS

1. Préparez un petit rapport sur Hannibal: sa vie, ses victoires, ses défaites, son importance historique. Essayez de trouver des illustrations.

2. Apportez quelques exemples d'artisanat tunisien à la classe: travail sur cuir, poteries, tapis. S'il vous est impossible de trouver ou d'apporter des objets, apportez des photos ou d'autres illustrations.

3. Demandez à un agent de voyages de votre ville de vous aider à préparer un voyage en Tunisie. Vous voulez savoir:

   a. combien coûte le voyage
   b. quelles lignes aériennes vont en Tunisie
   c. quels hôtels sont recommandés
   d. quelles attractions touristiques sont au programme

   Présentez ces renseignements à la classe.

Située à l'ouest du continent africain, la république du Sénégal est un des pays francophones les plus importants d'Afrique.

La population, qui compte 80 pour cent de musulmans, s'élève à plus de six millions d'habitants. Elle se divise en plusieurs groupes ethniques, dont le principal est le ouolof. Le dialecte ouolof est d'ailleurs parlé par 80 pour cent de la population.

La majorité des Sénégalais vivent de l'agriculture. Ils produisent principalement des arachides et de l'huile d'arachide.

Les Européens au Sénégal

Au 15e siècle, un navigateur portugais a « découvert » le Sénégal. Il y a trouvé un peuple noir, de haute taille, s'adonnant à l'agriculture et à l'élevage. Les Portugais se sont installés sur l'île de Gorée au large du continent. Deux siècles plus tard, les Français sont venus eux aussi s'établir au Sénégal.

C'est vers 1850 que la France a vraiment commencé à établir une colonie dans ce pays. A cette époque, le Sénégal était un pays divisé. Il y avait une multitude de petits royaumes indépendants. Il n'y avait aucune identité nationale, pas de langue commune.

Les Français n'ont évidemment rien fait pour unir ces divers royaumes. Malgré cette situation qui facilitait l'imposition d'un régime extérieur, il y a eu, jusqu'à la fin du siècle, une certaine résistance contre l'occupation française. La France a donc renoncé à une politique de violence au Sénégal pour y imposer paisiblement des structures sociales et politiques.

En 1960, après trois cents ans de domination française, le Sénégal est devenu une république indépendante.

Les relations avec la France

Au moment de déclarer son indépendance, le Sénégal n'a pas du tout coupé les liens qui l'unissaient à la France. Les échanges culturels et politiques sont nombreux. Au Sénégal il y a près de 20.000 Français. Trois mille étudiants sénégalais résident actuellement en France.

Sur le plan économique, les liens entre la France et le Sénégal sont très importants. La France est le premier fournisseur° et le premier client   supplier
du Sénégal. Soixante pour cent des voitures vendues au Sénégal sont des voitures françaises.

L'influence prépondérante de la France se maintient à cause de la présence d'anciennes firmes françaises au Sénégal, et aussi grâce à la participation française à la plupart des grands projets de développement

Indépendant depuis 1960, le Sénégal a toujours gardé des liens avec la France. De nombreux Français ont, comme ce boucher, choisi de s'établir au Sénégal.

du pays. La France, par exemple, participe à un important projet dont le but est de développer le fleuve Sénégal. Il s'agit de construire des bar-rages° et d'établir des ports. La France envoie de nombreux techniciens et spécialistes collaborer à ce projet.

dams

Un président dynamique pour un pays en développement

Grand (1,96 mètre),° très mince, le président sénégalais, Abdou Diouf, ressemble plus à un joueur de basket qu'à un chef d'Etat. Pourtant, avant même de devenir président de son pays en 1981, il avait passé de longues années au sein du gouvernement sénégalais. M. Abdou Diouf est aussi devenu en peu de temps une des figures les plus respectées d'Afrique.

    Né en 1935 à Louga, une ville située dans le nord du Sénégal à deux cents kilomètres de Dakar, Abdou Diouf a fait ses études primaires et

6 ft. 5 in.

secondaires dans son pays, dans la ville de Saint-Louis. Plus tard, il a étudié à la Faculté de Droit de l'Université de Dakar (1955–1958) et à la Faculté de Droit de Paris.

A vingt-cinq ans, le futur président a commencé sa carrière au gouvernement. Il a acquis une riche expérience dans plusieurs ministères et, en 1970, a été nommé Premier ministre par le président Léopold Sédar Senghor. Quand ce dernier s'est retiré en 1981, Abdou Diouf lui a succédé automatiquement à la présidence du pays. En 1983, il a été élu président au suffrage universel.

Depuis 1985, M. Diouf est également président de l'OUA, l'Organisation de l'Unité Africaine.

Comme plus de 80 pour cent de ses compatriotes, Abdou Diouf est musulman.

Dans une récente interview, le président sénégalais a parlé de certains problèmes de son pays, notamment de la pauvreté et de la corruption.

Abdou Diouf: « ... Nous veillons° toujours à faire une politique de justice sociale. Je vous donnerais, comme exemple, la nouvelle politique agricole, conçue dans le sens d'une revalorisation des revenus du paysan. Nous avons voulu faire en sorte que le Sénégalais profite entièrement du fruit de son travail, alors qu'auparavant, il existait beaucoup d'intermédiaires qui prenaient leur part au passage. Nous faisons également en sorte que le monde paysan reçoive, autant que possible, des subventions pour les instruments dont il a besoin pour ses cultures, que ce soient les semences,° le matériel agricole et autres produits. | take care … seeds

D'une manière générale, quand nous prenons des mesures difficiles, nous veillons à ce que ces mesures touchent tout le monde. Et, s'il est possible que certains soient moins touchés que d'autres, nous faisons en sorte que ce soient les plus faibles et non pas les plus forts qui soient avantagés. Quand nous décidons, par exemple, d'augmenter les salaires et les traitements, nous veillons toujours à ce que les catégories les plus basses aient une augmentation plus substantielle.

En ce que concerne la corruption, vous savez que c'est une maladie non seulement des pays sous-développés, mais aussi des pays développés. La corruption se rencontre un peu partout. Vous savez comment cela se passe: on appelle cela, vulgairement, des ‹ dessous de table ›. Ce sont des pratiques contre lesquelles il est difficile de lutter, car ni le corrupteur ni le corrompu n'a intérêt à révéler ce qui s'est passé.

Mais chaque fois que nous avons des preuves palpables, nous traduisons les gens devant les tribunaux. (...) Quand nous n'avons pas de preuves — nous sommes un pays démocratique, un pays des droits de l'homme, il ne faut donc pas jouer avec la liberté des gens sur des simples « on-dit » — mais quand nous avons des présomptions sérieuses et concordantes, les responsables prennent des mesures administratives, à défaut de prendre des mesures judiciaires, faute de preuves. »

L'arachide: L'industrie la plus importante

Le développement technique du Sénégal est essentiel pour assurer l'avenir du pays. L'économie est pour l'instant beaucoup trop dépendante de son industrie clé: l'arachide. C'est au 16e siècle que l'on a introduit l'arachide au Sénégal. Il fallait trouver une façon de nourrir les cargaisons° d'esclaves qui partaient de l'île de Gorée et qui étaient envoyées un peu partout dans le monde.

shiploads

Plus tard, vers 1850, des fabriquants de savon français ont commencé à importer les arachides en grande quantité.

Des huileries se sont créées partout en France, mais aucune usine de transformation ne s'est créée au Sénégal. En fait, jusqu'à la Seconde Guerre mondiale, le gouvernement français a découragé toute industrialisation du pays. Pour vendre leurs récoltes, les Sénégalais étaient à la merci des acheteurs et des tarifs de l'arachide.

Depuis l'indépendance, le Sénégal a enfin une politique de diversification de l'agriculture. On s'oriente également vers une meilleure variété d'exportations: les phosphates et les produits de la pêche, en particulier. Le pays a aussi l'espoir d'exploiter des ressources de pétrole en Basse Casamance et celles des mines d'or dans l'est du pays.

Le tourisme commence à se développer aussi et pourrait, à long terme, être une importante source de revenus.

C'est au 16e siècle que l'arachide a été introduite au Sénégal pour nourrir les cargaisons d'esclaves envoyés partout au monde. Elle reste l'industrie clé du pays.

Le football: Le roi des sports

En Afrique, tout le monde adore le foot, et le Sénégal ne fait pas exception. Le football est ici le sport national. Les jeunes garçons l'apprennent à l'école et rêvent un jour de porter les couleurs de l'équipe nationale, les Lions, et de jouer dans le grand stade de la ville de Dakar.

Le président sénégalais, Abdou Diouf, est lui-même un grand amateur de foot. Lors de la dernière Coupe du Monde, il a travaillé à organiser des actions de soutien de l'équipe, pour recueillir les fonds nécessaires à sa préparation et à son entretien. Jeux et tombolas,° vente de tee-shirts, dîners pour chefs d'entreprises, courses hippiques,° festivals de musique, toute une variété d'activités ont été organisées pour venir en aide aux Lions.   raffles / horse races

Le football sénégalais souffre toutefois de son succès. Les meilleurs footballeurs sont presque toujours invités à quitter leur pays pour aller jouer pour des équipes européennes. Le Sénégal est le plus grand exportateur de joueurs de l'Afrique de l'Ouest. Il y a tellement de footballeurs sénégalais en France qu'ils ont un nom spécial: on les appelle les « Sénefs » (Sénégalais de France).

Quand les Lions se préparent pour une compétition internationale telle que la Coupe du Monde, les Sénefs reviennent dans leur pays se joindre à leur équipe.

Un pays de poètes

« Tous les Sénégalais sont poètes » disait un jeune représentant de son pays.

Celui qui a le mieux capté le rythme profond de l'Afrique s'appelle Léopold Sédar Senghor. Poète et homme politique, puisque pendant de longues années il a été chef d'Etat de son pays, Senghor a contribué plus que n'importe qui à faire connaître l'Afrique et à exprimer les différences fondamentales entre la vision européenne ou américaine du monde et la vision africaine. Un de ses poèmes se trouve à la fin de ce chapitre.

Les chantres° de la négritude°   bards / blackness

Au cours des années 30, un groupe d'étudiants noirs, antillais et africains, se sont liés d'amitié à Paris. Ces jeunes ont fondé une revue, *L'Etudiant noir*, dans laquelle ils remettaient en question bon nombre d'idées établies concernant les noirs. Ils contestaient, par exemple, la notion de la supériorité du monde blanc. A cette époque, certaines œuvres d'ethnologues démontraient que l'Afrique avait de longues et riches traditions. Les jeunes noirs de Paris ont voulu communiquer leur fierté d'appartenir à une ancienne civilisation.

Senghor, l'Africain, symbolisait aux yeux de ses compagnons antillais l'image de l'Afrique-mère.

A partir de cette époque, Senghor s'est fait le chantre de la « négritude ». Pour lui, la négritude représente l'ensemble des valeurs du monde noir. « La négritude, dit-il, est la simple reconnaissance du fait d'être noir, et l'acceptation de ce fait, de notre destin de noir, de notre histoire et de notre culture. »

L'Afrique selon lui a une mission. C'est de redonner au monde blanc certaines des valeurs premières qu'il a perdues dans son souci d'acquérir des choses matérielles. Un collègue de Senghor, le poète Bernard Dadié de la Côte-d'Ivoire, a défini cette différence entre le monde blanc et le monde noir de la façon suivante. « Ils (les Européens) ont le néon, et nous avons la lampe tempête° à la lueur° de laquelle nous marchons. Ils ont la télégraphie sans fil et nous nos codes tambourinés, des livres, et nous, nos contes et nos légendes dans lesquels les anciens ont consigné leur science. Contes et légendes sont pour nous des musées, des monuments, des plaques de rues, en somme, nos seuls livres. »

kerosene lamp / glimmer

On a quelquefois fait à Senghor et aux autres écrivains africains, le reproche d'écrire en français quand, dans leur pays, la majorité des gens ne parlent pas français et ne savent certainement pas le lire.

Ces auteurs ont évidemment eu une formation intellectuelle tout à fait française. Et d'ailleurs comme le dit Senghor: « Si nous sentons en nègres, nous nous exprimons en français, parce que le français est une langue à vocation universelle, que notre message s'adresse aussi aux Français de France et aux autres hommes. »

Le poète de la négritude est aussi le champion de la francophonie. A un moment où le français perd de son importance mondiale, du moins au niveau du nombre de personnes qui parlent cette langue, Senghor croit que l'union fait la force. Les peuples francophones doivent travailler ensemble à la défense et à la promotion de leur langue.

Dakar: La capitale du Sénégal

L'agglomération contient environ 800.000 habitants, ce qui en fait une des villes les plus importantes du continent africain. Dakar, c'est aussi plusieurs villes qui ont des rapports plus ou moins étroits les unes avec les autres.

Il y a le Dakar moderne. C'est une cité toute blanche avec ses grands immeubles, ses hôtels de luxe, ses bars et restaurants, ses complexes gouvernementaux, une place centrale à la française, son université.

Ville tournée vers l'avenir, Dakar avec ses 800.000 habitants est un des grands centres du continent africain.

Puis il y a un autre Dakar, celui de la Médina. On n'est plus dans une ville européenne ici, mais au cœur de l'Afrique traditionnelle avec ses marchés, ses boutiques, ses stands, ses bruits, ses couleurs et ses odeurs.

Sur la corniche ouest de Dakar, on peut visiter le village de Soumbedeone, village artisanal où on peut admirer les tisserands,° bijoutiers, vanniers,° cordonniers° et forgerons à leur travail.

weavers

basketmakers / shoe-makers

Tout près de Dakar, dans le village de Soumbedeone, le visiteur peut observer les artisans — sculpteurs, tisserands, forgerons, bijoutiers et autres — à leur travail.

L'île de Gorée

Située à trois kilomètres au large de Dakar, Gorée est une île d'une grande importance historique. C'est de là que sont partis 40.000.000 d'esclaves noirs aux 16e et 17e siècles. Plusieurs de ces esclaves ont été envoyés en Amérique. Au moins 6.000.000 sont morts au cours du voyage. On peut aujourd'hui visiter la « maison des esclaves », le lieu où attendaient les esclaves avant d'être envoyés au bout du monde.

Joal

Joal se trouve à 118 kilomètres de Dakar. C'est un petit port que les Portugais connaissaient déjà au 15e siècle. C'est aussi le village natal de Léopold Senghor. Joal est réputé pour ses huîtres, ses vieilles maisons, ses palmiers et cocotiers. Dans ses poèmes, Léopold Sédar Senghor évoque souvent les souvenirs qu'il garde de son village. Sa poésie, d'ailleurs, est un chant constant à sa patrie et à son continent. Regardons cet exemple:

Tu as gardé longtemps

Tu as gardé longtemps entre tes mains le visage noir du guerrier
Comme si l'éclairait déjà quelque crépuscule° fatal.   dusk
De la colline, j'ai vu le soleil se coucher dans les baies de tes yeux
Quand reverrai-je mon pays, l'horizon pur de ton visage?
Quand m'assiérai-je de nouveau à la table de ton sein sombre?
Et c'est dans la pénombre° le nid° des doux propos.   dusk / nest

Je verrai d'autres cieux et d'autres yeux.
Je boirai à la source d'autres bouches plus fraîches que citrons.
Je dormirai sous le toit d'autres chevelures,° à l'abri des orages.   (head of) hair, tresses
Mais chaque année, quand le rhum° du printemps fait flamber la mémoire,   rum
Je regretterai le pays natal et la pluie de tes yeux sur la soif des savanes.

8 ou 9 jours/7 nuits

JET TOURS A AIME

• Le confort des hôtels de la chaîne Savana.
• La possibilité de découvrir le Sénégal en toute liberté avec une voiture sans chauffeur.

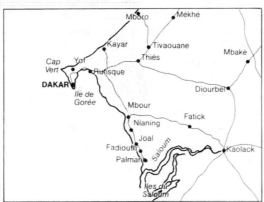

▬ COMPRÉHENSION

1. Comment était le Sénégal quand les Français sont arrivés? Quelle a été l'attitude des Français?
2. Que s'est-il passé au moment de l'indépendance? Quels sont les rapports entre le Sénégal et la France aujourd'hui?
3. Faites un curriculum vitæ du président sénégalais, Abdou Diouf. Indiquez son nom, sa date et son lieu de naissance, les études qu'il a faites, son expérience gouvernementale, la date de son accès à la présidence, sa taille, sa religion.
4. Selon le président Diouf, comment le gouvernement sénégalais doit-il aider les paysans?
5. Quelle est l'attitude du président envers la corruption?
6. Quelle est l'importance de l'arachide pour l'économie sénégalaise?
7. Pourquoi les écrivains sénégalais écrivent-ils en français? Quels sont les avantages et les inconvénients d'écrire en cette langue?
8. Qu'est-ce que ce chapitre vous apprend au sujet de Dakar?
9. Quel est le sport national sénégalais? Qu'est-ce qui arrive aux meilleurs footballeurs sénégalais?
10. Pourquoi l'île de Gorée est-elle un site historique?

▬ QUESTIONS

1. Quels sont les problèmes du Sénégal tels que vous les voyez?
2. Selon le président Abdou Diouf, la corruption « est une maladie non seulement des pays sous-développés, mais aussi des pays développés ». Que pensez-vous de ce commentaire? Connaissez-vous des exemples de corruption aux Etats-Unis?
3. Comment peut-on utiliser l'arachide pour faire du savon? Qu'est-ce qu'une usine de transformation? Pourquoi les usines de transformation sont-elles essentielles au développement économique du Sénégal?
4. Que pensez-vous de la définition que donne Senghor de la *négritude*? Pourquoi ces affirmations ont-elles été importantes pour les jeunes noirs qui étudiaient à Paris pendant les années 30?
5. Dans le poème de Senghor, *Tu as gardé longtemps*, dans le quatrième vers, de quel pays parle-t-il? De quel visage? A qui s'adresse le poète quand il dit « tu »? Où est-il quand il parle au début du poème? Quels sont les « autres cieux et autres yeux » dont il parle dans le septième vers? De quoi parle-t-il quand il mentionne le « rhum du printemps »? Que pensez-vous de ce poème?
6. Si vous ne saviez pas que Senghor était africain, comment pourriez-vous le savoir à la lecture de son poème?

EXERCICES DE LANGUE

1. Dans la citation de Bernard Dadié (*Les chantres de la négritude*), quels sont les mots qui décrivent le monde blanc? Quels sont ceux qui décrivent le monde noir? Contrastez-les. Chacun est un symbole de quoi?

2. Le président Diouf utilise l'expression « des dessous de table » comme synonyme de corruption. Que veut dire cette expression? Quels adjectifs pourriez-vous utiliser pour décrire les gens qui passent ou qui reçoivent de l'argent sous la table?

3. M. Diouf dit « ...il ne faut donc pas jouer avec la liberté des gens sur des simples « on-dit »... » Remplacez le *on* par un autre sujet. Faites deux phrases qui commencent par *on dit que...*

4. Dans le poème de Senghor, comment le poète communique-t-il la nostalgie? Par les mots, par les images, par la structure des phrases? Donnez des exemples précis.

DISCUSSION / COMPOSITION

1. En utilisant le poème de Senghor comme point de départ, écrivez une lettre dans laquelle vous exprimez à un(e) ami(e) la nostalgie que vous sentez pour votre pays quand vous êtes au loin.

2. Les Africains reprochent au monde blanc d'avoir oublié le sens de ce qui est important, d'accorder trop de valeur aux choses, à l'argent. Créez un conte qui illustrerait cette idée.

PROJETS

1. Trouvez un autre poème de Léopold Senghor ou d'un autre poète sénégalais. Apportez-le à la classe et comparez-le à celui présenté dans ce chapitre.

2. Organisez un petit itinéraire touristique au Sénégal. Apportez photos et dépliants illustrant les endroits que tout visiteur doit voir lors de son passage au Sénégal.

Pour l'Occident, la Côte-d'Ivoire apparaît comme le modèle de la réussite africaine. Depuis son indépendance en 1960, le pays s'est développé rapidement. Il jouit d'une stabilité politique remarquable. On appelle parfois la Côte-d'Ivoire, la Suisse africaine.

Le pays a une population de 9.000.000 d'habitants. Abidjan, sa capitale, regroupe 1.300.000 personnes. Une cinquantaine de groupes ethniques forment la population de la Côte-d'Ivoire: les Mandé, les Akan, les Baoulé, les Agni pour ne nommer que les plus importants.

Une population jeune et variée

La moitié de la population ivoirienne est née après l'indépendance. Cette situation démographique pose des problèmes au gouvernement, qui est obligé de donner une éducation, une formation, des qualifications professionnelles à un nombre croissant de jeunes. Et ceci à un moment où la Côte-d'Ivoire a un taux de chômage° élevé.

rate of unemployment

Avec une population jeune, la Côte-d'Ivoire accorde une attention toute particulière à la formation professionnelle.

Pour compliquer encore plus les choses, la Côte-d'Ivoire est un pôle d'attraction pour les habitants des pays voisins. Des milliers de travailleurs de Burkina-Faso, du Mali, du Niger, du Togo, du Bénin, de la Guinée et du Ghana viennent vers les plantations de café, de cacao, de bananes et d'ananas de ce pays qui, en dépit de ses problèmes, est relativement plus riche que les autres. Il y a plus de deux millions et demi d'étrangers en Côte-d'Ivoire.

Ces liens avec d'autres pays ont poussé le gouvernement à adopter certaines politiques précises. En particulier, le pays veut garder sa position de neutralité et vivre en paix avec ses voisins et l'ensemble du continent africain.

Cela n'est pas toujours facile dans ce continent où une cinquantaine d'états différents, chacun avec son orientation particulière, se côtoient.

Les relations avec l'Afrique du Sud

Pour les pays africains en voie de développement, l'Afrique du Sud présente un sérieux problème. Ce pays pratique une politique d'apartheid, c'est-à-dire une discrimination systématique contre les noirs. Il existe une ségrégation raciale quasi totale imposée par la minorité blanche, qui détient presque tous les pouvoirs.

Selon l'avis de l'ensemble des pays africains, l'Afrique du Sud manifeste un mépris° total pour les droits de l'homme et pour les principes mêmes de la démocratie. Mais l'Afrique du Sud est la principale puissance économique du continent. Elle possède des richesses naturelles: mines d'or, de diamants, d'uranium; elle a d'importantes industries de transformation métallurgique, une agriculture riche et développée.

contempt

Parmi les pays de l'Afrique noire, la Côte-d'Ivoire est un des seuls à chercher un dialogue avec l'Afrique du Sud. Selon le président ivoirien, M. Houphouët-Boigny, la paix doit exister entre tous les Etats africains, y compris l'Afrique du Sud. L'apartheid, d'après lui, est un problème de l'Afrique du Sud et ce n'est pas par la force qu'il sera réglé.

Cette position n'a pas nécessairement donné d'excellents résultats. Elle a surtout provoqué des réactions négatives de la part des autres pays d'Afrique, particulièrement de la part de la Guinée.

Cette attitude illustre tout de même la volonté de neutralité et de paix qui caractérise la Côte-d'Ivoire dans ses rapports avec le reste du continent.

Les relations avec la France

La France est le partenaire commercial et culturel privilégié de la Côte-d'Ivoire.

Tout de suite après l'indépendance, des accords ont été signés entre les deux pays. La France a apporté une importante aide économique aux

Ivoiriens. Il y a aujourd'hui près de 50.000 Français en Côte-d'Ivoire, trois fois plus qu'au moment de l'indépendance.

Abidjan: La perle de l'Afrique

On appelle le Paris noir, ou la perle de l'Afrique, cette capitale cosmopolite de plus d'un million d'habitants.

C'est une ville avec des gratte-ciel, un port des plus actifs, des marchés pittoresques, de jolis cafés le long de larges avenues bordées d'arbres. Un de ses quartiers récemment construits, Cocody, possède des hôtels de première classe, d'imposantes résidences particulières et une université moderne.

Abidjan est une ville côtière. Les sportifs peuvent profiter des plages, faire de la voile ou même aller à la chasse au crocodile dans les lagunes.

ABIDJAN

9 jours : 6 170 F
Départ de Paris
Lyon. . . . . 6 170 F
Marseille (10 jours) . . . 6 470 F
Toulouse . . . . 5 870 F

JET TOURS A AIME

• Le « Plateau », centre administratif et commercial d'Abidjan, véritable cité futuriste avec ses gratte-ciel et la cathédrale St-Paul.
• L'animation et la gaieté de la ville avec un grand nombre de restaurants et de discothèques.
• Le parc national du Banco, vaste forêt tropicale entièrement préservée, aux portes de la capitale.
• Le marché très coloré du « Plateau ».
• Le charme désuet de l'ancienne capitale Grand-Bassam située à 40 kilomètres d'Abidjan.
• Les possibilités d'excursions au départ d'Abidjan.

Abidjan est une ville active et moderne où se retrouvent des influences européennes et africaines.

Dans les restaurants, on peut goûter au plat national, le foutou, un mélange sucré de « yam » et de bananes avec une sauce aux noix ou à la graine de palmier. On peut aussi commander de l'atieke, une version ivoirienne du couscous.

Au pays des légendes: Destination Yacouba

Dans les montagnes de la Côte-d'Ivoire, on retrouve un monde bien différent de celui de la capitale. Chaque région a ses rites, ses mythes, ses coutumes religieuses et sociales.

Prenons l'avion d'Abidjan à destination du pays Yacouba, que l'on appelle aussi le pays « Dan ». Les Yacoubas sont un peuple ancien qui est venu s'installer en Côte-d'Ivoire il y a cinq siècles. Depuis, ils ont été en contact avec beaucoup d'autres ethnies, mais ils ont gardé leurs propres croyances, leur langue, leurs masques et leurs fétiches.

Les sociétés secrètes

Les Dans croient que certains individus ont le pouvoir de se transformer en animaux. Dans certaines sociétés secrètes, l'homme peut se métamorphoser en éléphant, en buffle,° en sanglier. Les membres de ces sociétés croient qu'ils assument ainsi les qualités précises qu'ils associent aux différents animaux.

buffalo

La société secrète la plus influente chez les Dans s'appelle « Gor ». « Gor » veut dire « léopard ». Le rôle de cette société est avant tout de maintenir la justice chez les hommes. Par exemple, si la plantation d'un homme riche produit trop de manioc° ou de riz, et s'il ne partage pas ses richesses avec les pauvres, les membres du « Gor » diront à leur chef qu'ils vont détruire les champs de cet homme riche. Et c'est précisément ce qu'ils feront.

plant from which tapioca is taken

Ceux qui veulent devenir membres de la société des « hommes léopard » s'engagent à ne plus avoir de disputes jusqu'à la fin de leurs jours. Pour les Dans, on ne peut pas imposer la justice ou la paix aux autres si on ne peut pas contrôler ses propres passions.

Les danses

Les danses des Dans sont parmi les plus fascinantes du monde. Des danseurs masqués dansent perchés sur des échasses° qui font six mètres de haut.

stilts

On dit des danseurs qu'ils ont deux pouvoirs. D'une part, un pouvoir spirituel et surnaturel leur permet de communiquer avec les esprits et de parler pour eux. D'autre part, un pouvoir temporel leur donne une grande agilité et leur permet d'exécuter des danses très difficiles pour l'émerveillement général.

Avant de devenir danseur et de pouvoir porter le masque et les échasses, le candidat doit suivre une période d'initiation qui dure de trois à cinq ans.

L'origine des races

La légende des Dans raconte qu'au commencement du monde, tous les hommes étaient noirs. Dieu a trouvé cette situation monotone et a décidé de changer les choses. Il a frappé des mains et a créé un énorme lac; puis il a dit aux hommes d'y aller se baigner. Ils ont obéi à contre-cœur.° Certains voulaient aller déjeuner; d'autres étaient couchés sous les arbres et étaient trop paresseux pour se lever.

reluctantly

Ceux qui se sont baignés sont sortis du lac tout blancs. Ils se sont pincé le nez pour faire sortir l'eau. Leur nez est devenu droit. Ils se sont peigné les cheveux, qui sont devenus droits. Ils étaient devenus des hommes blancs.

Autour des blancs, l'eau du lac s'est mise à diminuer graduellement. Bientôt, il ne restait plus assez d'eau pour que les autres puissent se baigner. Certains se sont roulés dans le peu d'eau qui restait, et leur peau est devenue jaune ou rouge. Quand les derniers sont arrivés au lac, il n'y avait presque plus d'eau, seulement un tout petit peu çà et là où ils ont pu se mouiller les pieds et les mains. Voilà pourquoi les noirs ont la plante des pieds et la paume des mains plus claires.

Et voilà pourquoi nous avons plusieurs races aujourd'hui dans le monde.

Sur la route du café

En voyage au pays Yacouba, le visiteur passera probablement à Yamoussoukro, le village natal du président de la République. On peut visiter les plantations de café et de cacao du président.

Dans ce pays où 90 pour cent des gens vivent de l'agriculture, le café et le cacao sont de loin les produits agricoles les plus importants. Ils représentent environ 60 pour cent de toutes les exportations ivoi-

Au milieu de la brousse se trouvent les plantations de café, une des grandes richesses du pays.

riennes. La Côte-d'Ivoire est le premier producteur mondial de cacao et
le troisième producteur de café, derrière le Brésil et la Colombie en
Amérique du Sud.

Le café et le cacao se cultivent dans les montagnes. L'exploitation
typique d'un village de la Côte-d'Ivoire se trouve au milieu de la
brousse.° Pas de champs délimités, pas de clôtures:° les caféiers et caca-   bush / fences
oyers poussent au milieu de grands arbres.

La récolte se fait quand les fruits sont rouges. En Afrique, la récolte
est collective: les cousins, les frères et leurs femmes viennent aider. Le
travail se fait à la main. On rapporte sa récolte au village sur le dos, où
elle est pesée et où la qualité est vérifiée.

Souvent les différents planteurs d'un village s'unissent en coopéra-
tive. Le gouvernement ivoirien garantit la progression régulière des prix
agricoles. Le gouvernement apporte aussi une aide technique. Il est
important en Côte-d'Ivoire de moderniser les méthodes de travail et
d'obtenir un meilleur rendement° des plantations. Aujourd'hui, la forêt   yield
est entièrement exploitée. Puisqu'il est difficile de s'étendre plus, il faut
obtenir de meilleurs résultats de l'espace cultivé.

Les contes africains

Dans toute l'Afrique, les contes ont de multiples fonctions: ils expliquent les origines de l'homme et du monde, ils prêchent des valeurs
importantes pour le groupe, ils donnent des leçons. La Côte-d'Ivoire est
une terre particulièrement fertile pour les contes et les conteurs. Souvent, comme dans le conte suivant, les personnages sont des animaux
— des animaux qui incarnent les défauts et les qualités des humains.

Le lion, la panthère et le mouton

Il y avait un jour, un lion, une panthère et un mouton qui allèrent faire
un campement dans la brousse. Mais dans cette brousse, il n'y avait pas
de rivière, et par conséquent, on ne pouvait pas attraper de poisson.
Alors le lion et la panthère se mirent à chercher de la viande, et tous les
jours ils poursuivaient le gibier. Cependant le mouton, incapable de
chasser, se laissait nourrir par ses deux puissants compagnons.

Un jour, ceux-ci dirent au mouton: « Va-t'en à ton tour chercher de
la viande dans la brousse! Tu ne fais rien, toi, et nous, nous nous
fatigons! » Le mouton partit et se mit à pleurer, car il ne savait pas
attraper les animaux et, après avoir erré° tout le jour sans rien trouver, il   wandered
revint le soir, l'oreille basse et n'ayant rien.

Le lion lui dit, en lui montrant sa grosse patte: « Tu retourneras
demain dans la brousse et si tu n'attrapes rien cette fois, gare à toi! ».°   watch out, be careful

Au cœur de la Côte-d'Ivoire, on est loin du monde moderne d'Abidjan. Les mythes et les coutumes tels que la communication par le tambour parlant existent toujours.

Le mouton partit de bonne heure, pleurant de plus belle et se lamentant sur son sort. Il remplissait la brousse de ses gémissements quand il rencontra une affreuse et puante° vieille femme qui lui dit: « Pourquoi pleures-tu? » Le mouton expliqua son cas et dit: « Je ne sais pas attraper les animaux. » « Viens! » dit la vieille femme, et elle l'entraîna vers sa hutte et lui dit: « Lave-moi, je suis bien sale et je voudrais être propre. Comme je n'ai pas de quoi manger, nous ferons de la sauce avec ce bouillon et nous mangerons cela ensemble. »

smelly, stinky

Le mouton ne dit rien, lava la vieille, prépara la sauce avec résignation et la mangea sans récriminer. Si bien que la vieille fut satisfaite et lui dit: « Je vais te donner quelque chose! » Et elle lui donna un gris-gris° avec lequel il pouvait attraper toutes les bêtes qu'il voulait. Et le mouton la remercia, sceptique sur la valeur de son talisman. Mais, dès qu'il fut dans la brousse il souhaita attraper un sanglier rouge et il l'attrapa. Il souhaita attraper une antilope et il l'attrapa. Il souhaita attraper un minnandian° et il l'attrapa... bref, il attrapa tout ce qu'il voulut et revint ce soir-là heureux et chargé de viande.

charm (African word)

jungle animal

Et le lion et la panthère furent grandement étonnés et lui dirent: « Comment as-tu fait pour attraper tant d'animaux, toi mouton? » « Je ne sais pas, dit celui-ci, je les ai vus et je les ai pris. »

« Bon! » dirent la panthère et le lion, et ils allèrent à leur tour à la chasse et cette fois ils n'attrapèrent rien. Quand ils revinrent, le mouton se mit dans une grande colère, les frappa et leur dit: « Vous allez voir ce que je sais faire! » Le lendemain, il repartit à la chasse et rapporta de nouveau quantité d'animaux et il en fut de même les jours suivants. Si bien que les deux fauves° réfléchirent et dirent: « Tu as certainement fait gris-gris, mouton, tu es un grand magicien. Tout cela est mauvais et se terminera mal pour nous. Nous allons quitter ce campement. »

wild animals

Et ils firent comme ils l'avaient dit et le mouton resta seul, si bien qu'une nuit un brigand° vint par là où les jours précédents il avait entendu le rugissement° du lion et vu les taches de la panthère. Et il se risqua et ne vit qu'un mouton. Alors il se saisit de lui et le tua et prit toute la viande amassée et fumée les jours précédents. Et il apporta le tout à sa femme et ils burent et mangèrent comme ils ne l'avaient jamais fait.

thief
roar

Cependant, des colporteurs° passaient sur la route. Enivré° de bonne fortune, le brigand voulut les tuer et les attaqua sans prudence. Mais il fut tué lui-même.

travelling salesmen / drunk

La morale des contes est à la base de la pensée africaine.

Les perspectives d'avenir

Depuis son indépendance, la Côte-d'Ivoire a connu une époque de grande stabilité, de tolérance et de justice grâce à celui qui a été son premier président et qui a été à la tête du pays pendant presque trente ans, Félix Houphouët-Boigny. Ce climat a permis au pays de faire de grands pas dans son développement. La Côte-d'Ivoire de l'après Houphouët-Boigny saura-t-elle continuer dans le même sens? Voilà la question que les experts se posent au sujet de son avenir.

▬ COMPRÉHENSION

Indiquez si les commentaires suivants sont *vrais* ou *faux*.

1. Les travailleurs étrangers en Côte-d'Ivoire s'occupent avant tout de travaux agricoles.
2. La politique de la Côte-d'Ivoire à propos de l'Afrique du Sud plaît à ses voisins.
3. L'Afrique du Sud est plus riche que le Sénégal.
4. Au moment de l'indépendance, les Français sont tous partis de la Côte-d'Ivoire.

5. Le foutou se prépare avec de la viande de mouton.

6. Les danses des Yacoubas ont une signification religieuse.

7. Chez les Dans, les hommes se déguisent en animaux pour voler et détruire les champs des autres.

8. La légende Yacouba sur l'origine des races explique comment l'Afrique a été le berceau de la civilisation.

9. Le président ivoirien habite un petit village dans les montagnes où il cultive le café.

10. Le mouton du conte n'est pas courageux mais est très intelligent.

■ QUESTIONS

1. Comparez la Côte-d'Ivoire et le Sénégal. Sur quels points se ressemblent-ils? Sur quels points diffèrent-ils? Faites un tableau comparant les deux pays.

2. Que pensez-vous de la politique raciale de l'Afrique du Sud? Quelle doit être l'attitude des autres pays africains à ce sujet?

3. Aimeriez-vous visiter la Côte-d'Ivoire et le Sénégal? Que feriez-vous? Où iriez-vous? Quelle sorte de vêtements apporteriez-vous?

4. Que pensez-vous des sociétés secrètes comme celle des « Gor »? Croyez-vous que ces sociétés apportent quelque chose de plutôt positif ou plutôt négatif? Quels peuvent être les dangers d'encourager ce genre de société secrète?

5. Les Dans expliquent l'origine des races par une légende. Que pensez-vous de cette légende? Que vous apprend-elle sur l'attitude des Africains?

■ EXERCICES DE LANGUE

1. L'arbre du café s'appelle un *caféier*. Comment s'appelle l'arbre qui donne des pommes? Des cerises? Des poires?

2. Dans le conte *Le lion, la panthère et le mouton*, quels mots ou expressions vous suggèrent que ce conte se passe en Afrique? Si ce conte se passait en Amérique, par quels mots remplaceriez-vous ceux-ci?

3. Dans la section *Sur la route du café*, le mot *exploiter* s'applique à l'agriculture. Quand on dit que *l'on exploite la forêt*, on veut dire que *l'on cultive la forêt*. Le même mot peut avoir d'autres sens. Que veut-il dire dans les phrases suivantes:

   a. Ces gens exploitent leurs employés.

   b. Le gouvernement va exploiter cette mine d'or.

   c. Il faut exploiter cette situation.

4. Trouvez les termes qui se rattachent à la chasse dans le conte, *Le lion, la panthère et le mouton*.

■ *DISCUSSION / COMPOSITION*

Que pensez-vous de l'attitude du mouton dans le conte, *Le lion, la panthère et le mouton*? Comment est-il au début, pendant sa rencontre avec la vieille femme puante, après avec les autres animaux? Son attitude change-t-elle? Pourquoi? Et les autres animaux — comment sont-ils? Pourquoi quittent-ils le campement? Quelle est la morale de ce conte?

■ *PROJETS*

1. Faites une enquête sur le café. Où se cultive-t-il? Quand a-t-il été mis à la mode? Quelles sont les différences entre le café africain et le café sud-américain?
2. Préparez un petit rapport sur la Côte-d'Ivoire: sa géographie, son climat, sa monnaie, ses institutions, ses grands auteurs.

Vocabulaire

A

abattoir (*m.*) slaughter-house
abbaye (*f.*) abbey
abonder to be plentiful
abonné, e (*m., f.*) subscriber
abordable affordable
abri (à l'— de) (*m.*) sheltered from
accourir to flock
accroissement (*m.*) growth, increase
accueil (*m.*) welcome
accueillant, e friendly
accueillir to welcome, greet
acheteur (*m.*) buyer
achever to finish
acier (*m.*) steel
aciérie (*f.*) steel mill
acquérir (acquis) to acquire (acquired)
addition (*f.*) check, bill
adonner (s'— à) to work at, play at
affaibli, e weakened
affaires (*f., pl.*) business
affiche (*f.*) poster
affreux, se horrible
agglomération (*f.*) city and its suburbs
agir to act
agrandir to enlarge
agrémenter to decorate
aïeul, e relating to one's forebears
ail (*m.*) garlic
aile (*f.*) wing
air (en plein —) (*m.*) outside, open air
abriter to shelter, house
ajouter to add
aliment (*m.*) food
alimentaire food-related
allongé, e elongated
allumer to light
alpiniste (*m., f.*) mountain climber
amande (*f.*) almond
amant, e (*m., f.*) lover
ambitionner to aspire
amélioration (*f.*) improvement

aménagement (*m.*) creation, organization
âme (*f.*) soul
amende (*f.*) fine
amer, amère bitter
amiante (*f.*) asbestos
amical, e (*pl.* **amicaux**) friendly
amitié (*f.*) friendship
ampleur (*f.*) size
ampoule (*f.*) light bulb
ananas (*m.*) pineapple
ancêtre (*m.*) ancestor
anchois (*m.*) anchovy
anéantir to abolish
anniversaire (*m.*) birthday, anniversary
annuaire (*m.*) directory
antillais, e West Indian
apparaître (apparu) to appear (appeared)
appareil (*m.*) instrument, appliance
apparenter to relate, be related to
appel (faire —) to call (upon)
appuyer to lean
Arabie Saoudite (*f.*) Saudi Arabia
arachide (*f.*) peanut
arbalétrier (*m.*) cross-bowman
arbuste (*m.*) shrub, bush
arc-boutant (*m.*) flying buttress
ardent, e fiery, burning
arête (*f.*) backbone of a fish
argenterie (*f.*) silverware
argile (*f.*) clay
armure (*f.*) armor
armurerie (*f.*) manufacture of arms
aromatique perfumed
arpent (*m.*) measure of land (*approx. 1 acre*)
arrondissement (*m.*) neighborhood, district
arroser to sprinkle
artichaut (*m.*) artichoke
artisanat (*m.*) craft
ascenseur (*m.*) elevator
asile (*m.*) asylum
aspirer to aspire
assiéger to lay siege to, besiege

atelier (*m.*) studio, workshop
attache (*f.*) tie, bind
attacher (s'— à) to insist upon, be attached to
attarder (s') to linger, dally
atteindre to reach
attentat (*m.*) criminal attempt
atténuer to tone down, subdue
attirer to attract
attraper to catch
auberge (*f.*) inn
augmentation (*f.*) increase
auparavant beforehand, earlier
autocar (*m.*) tour bus
autonomiste separatist
avaleur de feu (*m.*) fire eater
avertir to notify, warn
avion à réaction (*m.*) jet
avis (*m.*) opinion, notice
avocat (*m.*) lawyer, attorney

B

baguette (*f.*) wand; loaf of bread
baie (*f.*) bay
baigné, e bathed, covered with
baiser (*m.*) kiss
baisse (*f.*) reduction
baisser to ebb, go down
bal (*m.*) ball, dance
balader (se) to stroll
baleine (*f.*) whale
banc (*m.*) bed (*as for oysters*)
bande dessinée (*f.*) comic strip
banlieue (*f.*) suburb
bannir to banish
barrage (*m.*) dam
basilic (*m.*) basil
basket (*m.*) basketball
bas, se low
bataille (*f.*) battle
bateau (*m.*) boat, ship
bâtiment (*m.*) building
bâtir to build
battre (battu) to defeat (beaten)
bénéficier to enjoy, profit
Berbères (*m., pl.*) Berbers
berceau (*m.*) cradle
berge (*f.*) bank (*of a river*)

berger (*m.*) shepherd
bête (*f.*) beast, animal
bey (*m.*) Turkish governor
bienfaitrice (*f.*) benefactor
bijoutier (*m.*) jeweler
biscuiterie (*f.*) biscuit or cookie manufacturer
blé (*m.*) wheat
blesser to wound
blessure (*f.*) wound
bois (*m.*) wood
boisé, e wooded
boisson (*f.*) beverage
boîte (*f.*) nightclub; box
bonbon (*m.*) candy
bonheur (*m.*) happiness
bord (*m.*) bank (*of a body of water*)
bordé, e bordered, edged
borne (*f.*) marker
bouchée (*f.*) bite (*small hors d'œuvre or candy*)
boucher (*m.*) butcher
bouclier (*m.*) shield
bouillabaisse (*f.*) fish soup typical of Provence
boulanger, boulangère (*m., f.*) baker
boule (*f.*) ball
bouleverser to upset
boulon (*m.*) bolt
bourgade (*f.*) village
brigand (*m.*) thief
briller to shine
briser to break, crush
brodé, e embroidered
brousse (*f.*) bush
bruit (*m.*) noise
brûler to burn
bruyant, e noisy
buffle (*m.*) buffalo
but (*m.*) goal, end
butte (*f.*) hill

C

cacaoyer (*m.*) cocoa tree
cadeau (*m.*) gift
cadre (*m.*) setting; executive
caféier (*m.*) coffee tree
calèche (*f.*) horse-drawn carriage
campagnard, e country, rustic
campagne (*f.*) campaign; country
campement (*m.*) campsite
canard (*m.*) duck
canne à sucre (*f.*) sugar cane
cannelle (*f.*) cinnamon
caquelon (*m.*) fondue dish or pot
carême (*m.*) Lent

cargaison d'esclaves (*f.*) shipload of slaves
carrefour (*m.*) crossroads
carrière (*f.*) career
case (*f.*) house, hut
casser (se) to break
cassis (*m.*) red currant
causerie (*f.*) chat, small talk (*French Canadian*)
cave (*f.*) cellar
caveau (*m.*) wine cellar
céder to yield, break down
ceinture (*f.*) belt
celte Celtic
cendre (*f.*) ash
centrale (*f.*) power plant
cépage (*m.*) grape variety
certes certainly
chair (*f.*) meat
chaire (*f.*) pulpit
chaleur (*f.*) heat
chameau (*m.*) camel
champ (*m.*) field
champ de foire (*m.*) fair ground, rides
championnat (*m.*) championship
changement (*m.*) change
chanoine (*m.*) canon (*church official*)
chant (*m.*) hymn, song
chantant, e melodious, singing
chanteur (*m.*) singer
chantier (*m.*) site
chantier naval (*m.*) shipyard
chantre (*m.*) bard
char (*m.*) float
charcuterie (*f.*) cold meats
charte (*f.*) charter
charte de la langue française (*f.*) charter protecting French language rights
chasse (*f.*) hunt
chasser to chase, drive out
chasseur (*m.*) hunter
chef (*m.*) chief, head
chef d'Etat (*m.*) head of state
chemin de fer (*m.*) railroad
cheval (*m.*) horse
cheval (à — sur) straddling
chevalier (*m.*) knight
chevelure (*f.*) hair
cheville (*f.*) ankle
chèvre (*f.*) goat
chevreuil (*m.*) deer
chiffre d'affaires (*m.*) total revenue
choc (*m.*) shock
chômage (*m.*) unemployment
choquer to hit, shock

chou (*m.*) cabbage
chou-fleur (*m.*) cauliflower
chrétien, ne Christian
ciel (*pl.* **cieux**) (*m.*) sky, heaven, heavens
cigogne (*f.*) stork
citoyen (*m.*) citizen
citron (*m.*) lemon
clavier (*m.*) keyboard
clé (*f.*) key
cloche (*f.*) bell
cloître (*m.*) cloister
clôture (*f.*) fence
clou (*m.*) nail
cocotier (*m.*) coconut tree
col (*m.*) neck (*of a bottle*); rim (*of a mountain*)
colère (*f.*) anger
colle (*f.*) glue
colline (*f.*) hill
colombage (*m.*) half-timbering
colon (*m.*) settler, colonist
colonisateur, colonisatrice colonizing
colporteur (*m.*) salesman
commerçant (*m.*) merchant
comestible edible
complot (*m.*) plot
comportement (*m.*) behavior
compte en banque (*m.*) bank account
compte-rendu (*m.*) account
comté (*m.*) county
concevoir (conçu) to plan, conceive (conceived)
concombre (*m.*) cucumber
concurrence (*f.*) competition
concurrent (*m.*) competitor
conduire to drive; to lead to
confiant, e trusting
confiserie (*f.*) confectioner's shop or plant
confiture (*f.*) jam
confrérie (*f.*) (religious) brotherhood
congé (*m.*) holiday
conque (*f.*) waffle (*Belgian*)
conquérant (*m.*) conqueror
conquête (*f.*) conquest
conscience (*f.*) awareness
conseil (*m.*) advice
conseiller (*m.*) councillor
conserve (mettre en —) to can, preserve
conserverie (*f.*) cannery
consigner to deposit
conte (*m.*) story, tale
contenant (*m.*) container
conteneur (*m.*) container

contenu (*m.*)   content
contestation (*f.*)   rebellion, disagreement
contre-attaque (*f.*)   counter-attack
contrecœur (à —)   without enthusiasm, reluctantly
convaincre (convaincu)   to convince (convinced)
convenir   to suit
coquille (*f.*)   shell
corbeille (*f.*)   wastebasket
cordonnier (*m.*)   shoemaker
cornemuse (*f.*)   bagpipe
corniche (*f.*)   cornice, ledge
corps (*m.*)   body
corps de musique (*m.*)   band
corrompre (corrompu)   to corrupt (corrupted)
cortège (*m.*)   procession
côtier, côtière   coastal
côtoyer   to be side-by-side
coudre (cousu)   to sew (sewn)
couler   to flow
couler à flot   to flow freely
coup de foudre (*m.*)   love at first sight (*lit.*, thunderbolt)
coupable   guilty
coupe (*f.*)   cup
couper   to cut
cour (*f.*)   court, yard
courant (*m.*)   current
coureur de bois (*m.*)   trapper; explorer
couronne (*f.*)   crown
couronné, e   crowned
cours d'eau (*m.*)   body of water
course (*f.*)   race
courtois, e   courteous, polite
couscous (*m.*)   couscous (*North African specialty*)
couteau (*m.*)   knife
coutume (*f.*)   custom
craindre   to fear
crèche (*f.*)   nativity scene
crêperie (*f.*)   restaurant specializing in crêpes
crépuscule (*m.*)   dusk
crête (*f.*)   crest
creuser   to dig
crevette (*f.*)   shrimp
crise (*f.*)   crisis, depression
cristallerie (*f.*)   cut glassworks
croisade (*f.*)   crusade
croissance (*f.*)   growth
croître   to grow
croix (*f.*)   cross
croquer   to bite, chew
croyance (*f.*)   belief

crustacé (*m.*)   shellfish
cueillette (*f.*)   harvesting, gathering
cuir (*m.*)   leather
cuire   to cook
cuivre (*m.*)   copper
cuve (*f.*)   vat

D

débarquer   to disembark
débarrasser   to rid
débattre   to debate
débrouiller (se)   to manage, get along
décerner   to award
décevoir (déçu)   to trick, disappoint (disappointed)
déchirement (*m.*)   tearing apart
découper   to cut
décréter   to decree
décrocher   to win
décroissant, e   diminishing
défaillant, e   failing
défaite (*f.*)   defeat
défi (*m.*)   challenge
défier   to defy, challenge
défilé (*m.*)   parade
défricheur (*m.*)   settler, pioneer
dégager   to abstract, draw out
dégustation (*f.*)   tasting
déguster   to taste
delà (au —)   beyond
délice (*m.*)   delight, treat
délit (*m.*)   misdemeanor
demeure (*f.*)   residence
démolir   to demolish, tear down
démontrer   to show
dénombrement (*m.*)   census
dentelle (*f.*)   lace
dépasser   to go beyond, stick out
dépaysement (*m.*)   being out of one's usual surroundings
dépeindre   to depict
dépense (*f.*)   expense
dépit (en — de)   in spite of
déplacer (se)   to move, move about
dépourvu, e   deprived
dérouler (se)   to unfold, happen
descendre   to lodge (*in a hotel*)
desservir   to serve
destin (*m.*)   destiny
désuet   old-fashioned
détacher (se)   to withdraw
détendu, e   relaxed
détenir   to control

détriment (au — de)   at the expense of
détruire   to destroy
deuil (*m.*)   mourning
devancer   to take over the lead
développement (en voie de —)   emerging
déverser   to pour
devise (*f.*)   motto
dévoiler   to reveal
diapositive (*f.*)   slide
dieu (*m.*)   god
diminuer   to decrease, lessen
dirigeant, e   controlling
disparaître (disparu)   to disappear (disappeared)
divertissement (*m.*)   entertainment
dominer   to dominate
doré, e   golden
dorénavant   hence
dos (*m.*)   back
douceur (*f.*)   gentleness
doué, e   gifted
dramaturge (*m.*)   playwright
draperie (*f.*)   cloth (makers, sellers)
droit (*m.*)   law, right
droit (tout —)   directly, straight ahead
duché (*m.*)   duchy
dur, e   hard, difficult
durée (*f.*)   length of time, life
durer   to last

E

eau-de-vie (*f.*)   spirits, brandy
ébranler   to shake
écart (à l'—) (*m.*)   gap, outside of, away from
échange (*m.*)   exchange
échapper   to escape
échasse (*f.*)   stilt
échelonner (s')   to spread over
éclairage (*m.*)   lighting
éclairer   to light, enlighten
éclaircir   to enlighten, explain
éclat (*m.*)   luster, shine
éclater   to burst (forth)
écorce (*f.*)   bark
écouler (s')   to flow out, pour
écran (*m.*)   screen
écraser (s')   to fall down, collapse
écriture (*f.*)   writing
écrivain (*m.*)   writer
écusson (*m.*)   shield, coat of arms
éditeur (*m.*)   publisher

efficace effective
effrayer to frighten
église (*f.*) church
égoïsme (*m.*) selfishness
élan (*m.*) sweep
électroménager, électroménagère (*m., f.*) household appliance
élevage (*m.*) breeding, raising animals
élever to erect
élever (s') to rise
élire to elect
éloigné, e removed, far away
éloigner (s') to draw away, withdraw
embâcle (*m.*) obstruction, blockage
embellir to embellish, improve
embrasser to kiss
émerveillement (*m.*) amazement
émouvoir to move
emparer (s'— de) to seize
emplacement (*m.*) site
emploi (*m.*) job, employment
employer to hire, employ
emprunter to borrow, use
enclos (*m.*) paddock
endommagé, e damaged, harmed
endormir (s') to go to sleep, fall asleep
endroit (*m.*) place, space
enflammé, e enflamed, fired up, excited
engagé, e committed
engagement (*m.*) commitment
engager (s') to commit oneself
engendrer to engender, bring about
enivré, e drunk
enlèvement (*m.*) kidnapping
enlever to remove, take off
enneigé, e snow-covered
ennui (*m.*) problem
enquête (*f.*) poll, inquiry
enseignement (*m.*) teaching
enseigner to teach
ensemble (*m.*) complex; overall impression
ensoleillé, e sunny
entendre (s') to get along
enterrer to bury
entêté, e stubborn
entourer to surround
entraide (*f.*) mutual aid
entraîner to lead, bring about, involve
entrepôt (*m.*) warehouse

entretenir (entretenu) to keep (kept)
envahisseur (*m.*) invader
envoler (s') to fly away
épais, se thick
éparpillé, e scattered
épars, e scarce
épaule (*f.*) shoulder
épée (*f.*) sword
épice (*f.*) spice
éplucher to peel
épouser to marry, wed
époux, se (*m., f.*) spouse
épreuve (*f.*) trial
éprouvette (*f.*) test-tube
épuisé, e exhausted
équilibre (*m.*) balance
équipage (*m.*) crew
équipe (*f.*) team
érable (*m.*) maple
ère (*f.*) era, time
errer to wander
escale (*f.*) stop, port of call
escalier (*m.*) stairway
escargot (*m.*) snail
esclave (*m., f.*) slave
espace (*m.*) space
Espagne (*f.*) Spain
espagnol, e Spanish
espoir (*m.*) hope
esprit (*m.*) spirit
essor (*m.*) development
estimer to believe, consider
établir (s') to settle
étalage (*m.*) stand
étaler (s') to spread out, be spread out
étendre (s') to spread
ethnologue (*m., f.*) ethnologist
étonnant, e surprising
étoile (*f.*) star
étonnement (*m.*) surprise
étouffer to strangle, choke
être (*m.*) being
étroit, e narrow, close
éventail (*m.*) range; fan
évêque (*m.*) bishop
éviter to avoid
évolué, e civilized
exiger to insist upon, exact
exode (*m.*) exodus
exploitation (*f.*) working (*of a mine*)
exportateur, exportatrice (*m., f.*) exporter, (*adj.*) exporting
exprimer (s') to speak, express oneself
exténué, e exhausted
extrader to extradite

F

fabricant (*m.*) maker
faible weak
faiblesse (*f.*) weakness
farine (*f.*) flour
farouchement fiercely
fastes (*m., pl.*) luxury
fauve (*m.*) wild animal
fée (*f.*) fairy
fer (*m.*) iron
ferme (*f.*) farm
fervent (*m.*) fan
fétiche (*m.*) fetish
feu (de joie) (*m.*) fire, bonfire
feu vert (*m.*) green light
feuillage (*m.*) foliage
feux d'artifice (*m., pl.*) fireworks
fève (*f.*) bean
fidèle faithful
fier, fière proud
fierté (*f.*) pride
filature (*f.*) mill
filet (*m.*) net
fin, e thin, fine, delicate
fixer (se) to settle
flamand (*m.*) Flemish
flamber to set ablaze
flâneur (*m.*) idler, stroller
flèche (*f.*) arrow, spire
flèche (monter en —) to skyrocket
fleur de lis (*f.*) fleur-de-lis (*emblem of French kings*)
fleuri, e flowered
fleuve (*m.*) river
floraison (*f.*) flowering
florissant, e flourishing
flottant, e floating
flotte (*f.*) fleet
fluvial, e fluvial, of a river
flux (*m.*) flow
foi (*f.*) faith
foire (*f.*) fair, market
fonctionnaire (*m.*) civil servant, government worker
fonctionnariat (*m.*) civil service
fondateur (*m.*) founder
fondement (*m.*) basis
fonds (*m., pl.*) funds
foot (*m.*) football
footballeur (*m.*) football player
footing (*m.*) jogging
forfait (*m.*) discount
forge (*f.*) ironworks
forgeron (*m.*) blacksmith
fossé (*m.*) ditch
fouille (*f.*) excavation
foule (*f.*) crowd

fournir to supply
fournisseur (*m.*) supplier
fourrure (*f.*) fur
foutou (*m.*) national dish of Ivory Coast
foyer (*m.*) home
fracas (avec —) noisily
frais, fraîche fresh
franchement frankly, truly
francophonie (*f.*) French-speaking world
frappe de monnaie (*f.*) minting of coins
frapper (— des mains) to hit (to clap hands)
fricassée (*f.*) stew
frites (*f.*) French fried potatoes
fronton (*m.*) wall for playing pelota
fruit de mer (*m.*) seafood
frustré, e frustrated
fureur (faire —) to take by storm
fumer to smoke
fusée (*f.*) rocket
fusil (*m.*) gun

G

galette (*f.*) pancake
gallois, e Welsh
gamme (*f.*) range, variety
gant (*m.*) glove
garderie (*f.*) day care center
gare (*f.*) train station
gare à toi be careful, watch out
garer (se) to park
garnie (choucroute —) sauerkraut with sausages
garnir to garnish, decorate, prepare
gâteau (*m.*) cake
gauchiste left-wing
gaufre (*f.*) waffle
gazon (*m.*) lawn
gémissement (*m.*) cry
germer to sprout
geste (*m.*) gesture
gibier (*m.*) game
girofle (*m.*) clove
gitan, e (*m., f.*) gypsy
glisser (se) to slip
gloire (*f.*) glory
glorieux, se glorious, proud, vainglorious
goût (*m.*) taste
goûter to taste
goûter (*m.*) snack
goutte (*f.*) drop
gradins (*m., pl.*) stands

graine (*f.*) seed
grandir to grow
Grands Lacs (*m., pl.*) Great Lakes
gratte-ciel (*m.*) skyscraper
gratuit, e free
grillage (*m.*) metal grating
grille (*f.*) grating
grimper to climb, go up
griot (*m.*) bard (*African word*)
gris-gris (*m.*) charm (*African word*)
gronder to scold
groupe (*m.*) group, firm
grue (*f.*) crane
gruyère (*m.*) Swiss cheese
guère little, scarcely
guérisseur (*m.*) healer
guerre (*f.*) war
guerrier (*m.*) warrior
guirlande (*f.*) garland

H

habit (*m.*) suit, clothing
habitué (*m.*) regular customer
habituer (s') to get used to
hache (*f.*) axe
hacher to chop
haleine (*f.*) breath
halles (*f., pl.*) market
hanter to haunt
hareng (*m.*) herring
hasard (*m.*) chance
hâter (se) to hurry, rush
hausse (*f.*) increase
haut de gamme top of the line, luxury
haut-fourneau (*m.*) blast furnace
hauteur (*f.*) height
hebdomadaire weekly
hectare (*m.*) measure of land (*approx. 2.47 acre*)
héritier (*m.*) heir
hippique relating to horses
horloge (*f.*) clock
horlogerie (*f.*) watchmaking
hôte (*m.*) host
huile (*f.*) oil
huilerie (*f.*) oil works, oil mill
huître (*f.*) oyster
hymne (*m.*) anthem

I

îlot (*m.*) isle
iman (*m.*) Imam (*Moslem minister*)
immeuble (*m.*) building
impératrice (*f.*) empress

imperceptible unperceivable, intangible
implacable relentless
imprégner to soak
imprévisible unforeseeable
imprimerie (*f.*) printing press
inaperçu, e unnoticed
incarner to embody
incertitude (*f.*) uncertainty, doubt
inconnu, e unknown
incontestablement unquestionably
incroyable unbelievable
indigène (*m., f.*) native
infranchissable impassable
inquiétude (*f.*) worry, anguish
inscrire to register
insouciance (*f.*) lack of awareness
insoupçonné, e unsuspected, unforeseen
instruire to instruct
instruit, e educated
interdire to forbid
interprète (*m., f.*) actor
interroger to question
intime intimate
intrus (*m.*) intruder
inventaire (*m.*) inventory
isolement (*m.*) isolation
ivoire (*m.*) ivory

J

jaillir to spout forth, spring up
jalonner to mark at regular intervals
jaloux, se jealous
jamais (à —) forever
jaunissant, e yellowing
jeu (*m.*) game
jeu de paume (*m.*) handball, old form of tennis
jongleur (*m.*) juggler
jonquille (*f.*) daffodil
jouer to play, gamble
jouir to enjoy
juger to judge, believe
jurer to swear

K

klaxonner to honk (*the horn*)

L

labourer to break ground, plough
lac (*m.*) lake

lagune (*f.*) lagoon
laïcisation (*f.*) secularization
laïque lay
laid, e ugly
La Mecque Mecca
lamelle (*f.*) strip
lamenter (se) to cry, wail
lampe tempête (*f.*) kerosene lamp
lance-pierre (*m.*) slingshot
lancement (*m.*) launching
lancer to throw, launch
large (au —) at sea
lecteur (*m.*) reader
légume (*m.*) vegetable
lendemain (*m.*) next day
lèvre (*f.*) lip
librairie (*f.*) bookstore
libre free
lien (*m.*) tie, link
lier (se — d'amitié) to strike up a friendship
lieu (*m.*) place
ligne aérienne (*f.*) airline
lignée (*f.*) lineage
livrer (se) to deliver, wage
location (de —) rental
logement (*m.*) housing, apartment
loger to house
loi (*f.*) law
loisirs (*m., pl.*) leisure activities
loyer (*f.*) rent
lueur (*f.*) glow
luge (*f.*) toboggan
lumière (*f.*) light
lutter to struggle
luxueux, se luxurious

M

maigrir to lose weight
Mahomet Mohammed
main-d'œuvre (*f.*) manpower, labor
maints many (*old French*)
mairie (*f.*) city or town hall
maîtresse (*f.*) mistress
mal (avoir du — à) (*f.*) ache, sore (to have difficulty in)
maladie (*f.*) illness, disease
malédiction (*f.*) curse
malhonnête dishonest
manche (*f.*) sleeve
mandat (*m.*) mandate, term of office
manifestation (*f.*) demonstration
manioc (*m.*) tapioca plant
manquer to miss

marchander to bargain
marche (*f.*) step
marée (*f.*) tide
marié, e (*m., f.*) married person
marin (*m.*) sailor
marine (*f.*) seascape
masquer to mask
matière (en — de) pertaining to
mauresque Moorish
médaille (*f.*) medal
mélange (*m.*) mixture
mémoire (*f.*) memory
menace (*f.*) threat
ménage (faire bon —) (*m.*) household; to get along
ménage à trois (*m.*) threesome
ménagère (*f.*) housewife
mener (à) to lead to
mépris (*m.*) contempt
mercredi des cendres (*m.*) Ash Wednesday
merveille (*f.*) marvel
merveilleux, se marvelous
messe (*f.*) mass
mesure (*f.*) measure, moderation
métier (*m.*) trade, craft
météo (*f.*) weather, weather forecast
métrage (long et court —) (*m.*) feature film, documentary
metteur en scène (*m.*) director
mettre (au point) to perfect
mettre (se — à) to begin
mettre sur pied to establish, start
meuble (*m.*) furniture
meurtre (*m.*) murder
meurtrier (*m.*) murderer
Midi (*m.*) South of France
miel (*m.*) honey
milliard (*m.*) billion
mince thin, fine
minerai (*m.*) iron ore
minier, minière mining
ministère (*m.*) government department or agency
minnadian (*m.*) jungle animal
mœurs (*f., pl.*) manners, morals of a people
moine (*m.*) monk
moisson (*f.*) harvest
moitié (*f.*) half
mondial, e world
mondialement worldwide
montagnard, e mountain
montagneux, se mountainous
moquer (se — de) to make fun of
morale (*f.*) moral, lesson
morceau (*m.*) piece
morue (*f.*) cod

mosquée (*f.*) Mosque
mouiller (se) to get wet
moule à gaufres (*m.*) waffle iron
moules (*f., pl.*) mussels
moulin à vent (*m.*) windmill
mourir to die
mouton (*m.*) sheep
moyen (*m.*) means
moyen, ne average, medium
muscade (*f.*) nutmeg
musulman (*m.*) Muslim
musulman, e Muslim

N

nager to swim
naissance (*f.*) birth
naître to be born
natal, e native
navire (*m.*) ship
nègre black
neige (*f.*) snow
neveu (*m.*) nephew
nid (*m.*) nest
niveau (*m.*) level
niveau de vie (*m.*) standard of living
noblesse (*f.*) nobility
noce (*f.*) wedding
noircir to blacken
noisette (*f.*) hazelnut
noix (*f.*) nut
nombre (*m.*) number
nombreux, se numerous
notable (*m.*) important person
notamment notably
noueux, se knotty
nourrir to feed
nourriture (*f.*) food
nouveauté (*f.*) novelty
Nouvelle-Ecosse (*f.*) Nova Scotia
noyer (se) to drown
nuire to harm
numéroté numbered

O

occitan (*m.*) language of Provence
œuf (*m.*) egg
œuvre (*f.*) work
office (*m.*) church office or prayer
oignon (*m.*) onion
opprimer to oppress
opter to choose, opt for
or (*m.*) gold
orage (*m.*) storm
oranger (*m.*) orange tree

ordinateur (*m.*)   computer
ordre de la Toison d'or (*m.*)   Order of the Golden Fleece
oreille (*f.*)   ear
orgueilleux, se   proud
originaire   native
ornière (*f.*)   rut
orthographe (*f.*)   spelling
OTAN (Organisation du Traité Nord-Atlantique)   NATO (North-Atlantic Treaty Organization
ouolof (*m.*)   language and people of West Africa
ours (*m.*)   bear
outre (en —)   moreover, in addition
ouverture (*f.*)   opening
ouvrier, ouvrière (*m.*, *f.*)   worker

P

paille (*f.*)   straw
paisible   peaceful
paix (*f.*)   peace
palais des congrès (*m.*)   convention hall
palette (*f.*)   paddle
pâlissant, e   fading
palmier (*m.*)   palm tree
palpable   tangible
pan de bois (*m.*)   half-timber
panier (*m.*)   basket
panneau-réclame (*m.*)   billboard
parcourir   to go through, visit
parcours (*m.*)   road, distance covered
pare-feu   fire-preventing
pareil (sans —)   unique
paresseux, se   lazy
pari (*m.*)   wager
paroles (*f.*, *pl.*)   words, lyrics
partager (se)   to share, be shared
parti (*m.*)   party
parvenir   to arrive
parvis (*m.*)   church porch and steps
passant (*m.*)   passer-by
passer (se)   to happen
passionnant, e   fascinating
pasteur (*m.*)   shepherd
pâte (*f.*)   dough, paste
patiner   to skate
patinoire (*f.*)   skating rink
patois (*m.*)   dialect
patron (*m.*)   boss, employer; patron saint
patte (*f.*)   paw
pâturage (*m.*)   pasture

paume (*f.*)   palm
pauvreté (*f.*)   poverty
pavane (*f.*)   pavane (*dance*)
paysage (*m.*)   scenery
paysan, ne (*m.*, *f.*)   man or woman from the country
Pays-Bas (*m.*, *pl.*)   Netherlands
peau (*f.*)   skin
pêche (*f.*)   fishing
pêcheur (*m.*)   fisherman
peigner   to comb
peintre (*m.*)   artist, painter
peinture (*f.*)   paint
pèlerin (*m.*)   pilgrim
pèlerinage (*m.*)   pilgrimage
pelote (*f.*)   pelota, hard ball
penchant (*m.*)   leaning, disposition
pencher   to lean
pénétrer   to enter, penetrate
péniche (*f.*)   riverboat, canalboat
pénitence (*f.*)   penance
pénombre (*f.*)   dusk
percer   to pierce
perdre   to lose
périple (*m.*)   long and complicated journey
personnage (*m.*)   character
perte (*f.*)   loss
perte de vue (à —)   out of sight
pesanteur (*f.*)   weight
peser   to weigh
pétrolier (*m.*)   oil tanker
peuple (*m.*)   people
peuplé, e   populated, peopled
pièce de théâtre (*f.*)   play
pied (de plein —)   fully, completely
piège (*m.*)   trap
pierre (*f.*)   stone
piéton (*m.*)   pedestrian
pilé, e   crushed
pilier (*m.*)   pillar, column
pin (*m.*)   pine
pincer   to pinch
pires (les —)   the worst
piscine (*f.*)   swimming pool
pistache (*f.*)   pistachio
pitié (*f.*)   pity
place (*f.*)   square, place
plage (*f.*)   beach
plaie (*f.*)   wound
plaindre (se)   to complain
plaisance (*f.*)   pleasure (boat or craft)
plan (*m.*)   level, plan
plante (*f.*)   sole of foot
planteur (*m.*)   planter
plaque de rue (*f.*)   street sign
plaque tournante (*f.*)   turntable

plat (*m.*)   dish
plâtre (*m.*)   plaster
pleurer   to cry
plonger   to dive
pluie (*f.*)   rain
plume (*f.*)   feather
poignée (*f.*)   handful
point de mire (*m.*)   center of attention
pointe (de —)   key
pois (*m.*)   pea
poisson (*m.*)   fish
poivron (*m.*)   green pepper
polluer   to pollute
pomme (*f.*)   apple
pont (*m.*)   bridge
population active (*f.*)   working population
portail (*m.*)   church portal, door
portée (d'une grande —)   far-reaching
portefeuille (*m.*)   wallet
poudre (*f.*)   powder
pourri, e   rotten
poursuivre   to carry on, pursue, follow
pourtant   however, nevertheless
pouvoir (*m.*)   power
praline (*f.*)   bite-size chocolates (*Belgian*)
préalable   aforehand
prêcher   to preach
prédicateur (*m.*)   preacher
prendre d'assaut   to take by storm
préparatif (*m.*)   preparation
prépondérant, e   predominant
prescrire   to determine
pressé, e   rushed, in a hurry
prétendant (*m.*)   pretender
prévoir   to foresee, plan
prière (*f.*)   prayer
princier, princière   princely
principe (*m.*)   principle
prise de conscience (*f.*)   awakening of awareness or consciousness
producteur (*m.*)   producer
produire   to produce
produit national brut (*m.*)   Gross National Product
profiter   to profit, enjoy
projet de loi (*m.*)   law, bill
projeter   to throw, screen, show
promontoire (*m.*)   promontory, hill
promouvoir   to promote
propos (*m.*)   word, comment
propreté (*f.*)   neatness, cleanliness
propriétaire (*m.*)   owner
provenance (*f.*)   source

publicitaire advertising
publicité (*f.*) advertising, advertisement
publier to publish
puissance (*f.*) power
puissant, e powerful

Q

quartier (*m.*) neighborhood
quartier général (*m.*) headquarters
quête (faire la —) (*f.*) to beg, ask for alms
quête du Saint-Graal (*f.*) Quest for the Holy Grail
quitter to leave
quotidien, ne daily

R

raffinement (*m.*) refinement
raisin (*m.*) grape
rajeuni, e rejuvenated
rajeunissement (*m.*) rejuvenation
ralenti (au —) at a slower pace, in slow motion
ralentir to slow down
ranger to take place, settle
râper to grate
rapide (*m.*) rapid (*in river*)
rappel (*m.*) reminder
rapporter (se) to relate
ravi (*m.*) village idiot (*Provençal*)
rayon (*m.*) ray, spoke of a wheel
réagir to react
réalisation (*f.*) accomplishment, production
recensement (*m.*) census
recette (*f.*) recipe; revenue
recherche (*f.*) research
récit (*m.*) account, story, tale
récolte (*f.*) harvest
reconnaissance (*f.*) realization
reconnaître to admit, recognize
recouvrir to cover, wrap
recrue (*f.*) recruit (*army*)
recueil (*m.*) collection
recueillir to collect, gather
recul (en —) (*m.*) losing importance
reculer to go backwards, push back
rédactionnel, le editorial
redescendre to go back down
rédiger to write
réduit, e small, lessened
réfléchir to think, ponder
reflet (*m.*) reflection

réfugier (se) to seek refuge
règle (*f.*) rule
régler to settle, pay
règne (*m.*) reign
regrouper to comprise, consist of
rejeter to reject
réjouir to rejoice, make happy
réjouissance (*f.*) rejoicing
relevé, e spicy, tasty
relever to point out, signal
relier to link, join
reliquaire (*m.*) shrine
reloger to relocate
remerciement (*m.*) thanks
remonter to go back to
remplir to fill
remporter to win
rencontre (*f.*) meeting
rendement (*m.*) yield, produce
rendre (se) to surrender
renfermé, e withdrawn
renommée (*f.*) renown, fame
renoncer to give up, renounce
renouer to renew one's ties
renouveau (*m.*) renewal
renouveler to renew, renovate
renvoyer to send back
répandre to spread
réplique (*f.*) reply
replonger to go back into
repousser to push back
répréhensible disreputable
reprendre to retake, reconquer
réprimer to repress
reprise (*f.*) time, attempt
reproche (*m.*) criticism
réseau (*m.*) network
ressentir to feel
ressortir (faire —) to bring out
reste (*m.*) remainder
rétablir to re-establish
retenir to retain
retourner to go back
rétrécissement (*m.*) narrowing
retrouver to find
réussite (*f.*) success
revalorisation (*f.*) increase, new importance
revanche (*f.*) revenge
revanche (en —) on the contrary
rêve (*m.*) dream
réveiller (se) to awaken
révéler to reveal
revenu (*m.*) income, revenue
rêver to dream
revêtir (revêtu) to put on, wear (worn)
rêveur, se dreamy, dreamlike
révolu, e finished, over
revue (*f.*) magazine

richesse (*f.*) wealth
rive (*f.*) bank (*of a river*)
riz (*m.*) rice
rocher (*m.*) rock
roman (*m.*) novel
roman, e romanesque
romanche (*m.*) language of Switzerland
romande (La Suisse —) French Switzerland
rompre to break
roseau (*m.*) reed
routier, routière (indications —) highway directions
royaume (*m.*) kingdom
rouler to roll
ruelle (*f.*) lane, alley
rugissement (*m.*) roar

S

sablonneux, se sandy
saboter to sabotage, destroy
sacre du printemps (*m.*) Rite of Spring
sacré, e sacred
sacrer to crown
sagesse (*f.*) wisdom
sain, e wholesome, healthy
saisir to grasp, seize
sale dirty
salé, e salty
saler to salt
saluer to greet
sang (*m.*) blood
sanglier (*m.*) wild boar
santon (*m.*) small clay figure made in Provence
santonnier (*m.*) santon maker
sarrasin (*m.*) buckwheat
saucisse (*f.*) sausage
sauvage wild
sauver (se) to run away
savane (*f.*) savannah
savant (*m.*) scholar
savon (*m.*) soap
savonnerie (*f.*) soap products or industry
séduisant, e engaging, charming
seigneur (*m.*) lord
sein (*m.*) breast
sein (au — de) within
séjour (*m.*) stay
sel (*m.*) salt
semence (*f.*) seed
semer to plant or sow
sensiblement perceptibly
sentier (*m.*) path
sentir to feel

serment (*m.*)   oath
sève (*f.*)   sap
siècle (*m.*)   century
siège social (*m.*)   headquarters
smoking (*m.*)   tuxedo
société (*f.*)   company, firm
soirée (*f.*)   evening
sol (*m.*)   soil
solitaire   solitary
sombre   dark
sombrer   to crash, shipwreck
son (*m.*)   sound
sondage (*m.*)   poll
sorcellerie (*f.*)   witchcraft
sorcier, sorcière (*m., f.*)   witch, wizard, sorcerer
sort (*m.*)   fate
sorte (faire en —)   to act in such a way
souci (*m.*)   care, worry
souffle (*m.*)   breath
souffrance (*f.*)   suffering
soufre (*m.*)   sulphur
souhait (*m.*)   wish
souhaiter   to wish, want
soumettre (soumis)   to submit, present (submitted, presented)
sous-sol (*m.*)   subsoil
soutenir   to support
souterrain, e   underground
soutien (*m.*)   support
sportif (*m.*)   sports fan
station (*f.*)   resort
station balnéaire (*f.*)   beach resort
statut (*m.*)   statute
subir   to suffer (*a defeat*)
subvention (*f.*)   grant, financial aid
sucre (*m.*)   sugar; (**les sucres** = sugaring party)
sucre (cabane à —)   shack where sugaring parties are held (*in French Canada*)
sucré, e   sweet, sugared
suivante (la —)   as follows
superficie (*f.*)   area
surgir   to rise, loom up
surnaturel   supernatural
surprenant, e   surprising, unexpected
survol (*m.*)   overview
susciter   to excite, bring about, give rise

T

tableau (*m.*)   chart
tache (*f.*)   spot
taille (*f.*)   size

tailler (se)   to carve out, make
tambour (*m.*)   drum
tambouriner   to drum
tapis (*m.*)   rug, carpet
tarif (*m.*)   rate, price
tarte (*f.*)   pie
taureau (*m.*)   bull
taux de change (*m.*)   rate of exchange
télégraphie sans fil (*f.*)   telegraph
tellement   so, so much so
témoigner   to bear witness
temps (à — partiel)   part-time
tendre (tendu)   to reach out, cover (covered)
tenir tête à   to stand off
tentative (*f.*)   attempt
tenter   to tempt
terrain (*m.*)   lot
Terre-Neuve   Newfoundland
terroir (*m.*)   soil
tertiaire   relating to services, offices
thermes (*m., pl.*)   public baths (*Roman*)
thon (*m.*)   tuna
tiers (*m.*)   third
tirage (*m.*)   circulation
tire (*f.*)   taffy
tirer   to shoot, pull, draw, derive, circulate
tisserand (*m.*)   weaver
tissu (*m.*)   material
toile (*f.*)   painting, canvas
Toison d'or (*f.*)   Golden Fleece
toit (*m.*)   roof
tomber   to fall
tomber en panne   to break down
totémique   from totem (*links animal and man*)
tour (*f.*)   skyscraper, tower
Tourangeau (*m.*)   inhabitant of Tours
tourbillon (*m.*)   whirlwind
tournée (*f.*)   circuit, round
tournoi (*m.*)   tournament
tourtière (*f.*)   meat pie (*French Canadian*)
toutefois   nevertheless
traduire (se)   to be expressed
traite (*f.*)   trade
traitement (*m.*)   salary, income
trajet (*m.*)   itinerary
tranche (*f.*)   slice
trancher   to slice
transatlantique (*m.*)   ocean liner
traqué, e   tracked, followed
traversée (*f.*)   crossing
tremper   to dip
trésor (*m.*)   treasury

tressé, e   braided
tribu (*f.*)   tribe
tribunal (traduire devant le —) (*m.*)   to take to court
tristesse (*f.*)   sadness
troisième âge (*m.*)   over 65, senior citizen
tromper (se)   to make a mistake, be in error
trou (*m.*)   hole
tuer   to kill
tuile (*f.*)   tile
turc, turque   Turkish
tuyau (*m.*)   pipe

U

unir   to join together, link
usager (*m.*)   user
usine (*f.*)   factory

V

vacancier (*m.*)   vacationer
vache (*f.*)   cow
vaincre (vaincu)   to defeat (defeated)
vainqueur (*m.*)   winner, victor
valoir (faire —)   to point out, argue
valoriser   to value
vannier (*m.*)   basket maker
vapeur (*f.*)   steam
vedette (*f.*)   star
veiller   to watch, be on the lookout
vélocité (*f.*)   speed
velours (*m.*)   velvet
vendange (*f.*)   grape harvest
venger (se)   to seek revenge, avenge
vente (*f.*)   sale
verdure (*f.*)   greenery
verre (*m.*)   glass
verrerie (*f.*)   glassmaker, glass factory
veuf, veuve (*m., f.*)   widower, widow
victoire (*f.*)   victory
vide   empty
vieillissement (*m.*)   aging
vieux, vieille (*m., f.*)   old man, old woman
vif (sur le —)   live, in person
vif, vive   bright
vigne (*f.*)   vine
vignoble (*m.*)   vineyard
villageois (*m.*)   villager
vinicole   wine-growing

vis-à-vis with respect to
visionner to view, look at
viticole wine-growing
viticulteur (*m.*) wine-grower
vitrail (*pl.* **vitraux**) (*m.*) stained-glass window
vivace lively, alive
vivant, e alive
vive — long live —
vivier (*m.*) fish-tank
vivre (vécu) to live (lived)
voie (*f.*) way
voile (*f.*) sail
voilé, e veiled
voisin, e (*m., f.*) neighbor
voiture (*f.*) car
volcan (*m.*) volcano
volière (*f.*) aviary
volonté (*f.*) will
voué à l'échec doomed to failure
vraisemblablement probably

1 2 3 4 5 6 7 8 9 10

vis-à-vis with respect to
visionner to view, look at
viticole wine-growing
viticulteur (*m.*) wine-grower
vitrail (*pl.* **vitraux**) (*m.*) stained-glass window
vivace lively, alive

vivant, e alive
vive — long live —
vivier (*m.*) fish-tank
vivre (vécu) to live (lived)
voie (*f.*) way
voile (*f.*) sail
voilé, e veiled

voisin, e (*m., f.*) neighbor
voiture (*f.*) car
volcan (*m.*) volcano
volière (*f.*) aviary
volonté (*f.*) will
voué à l'échec doomed to failure
vraisemblablement probably

1 2 3 4 5 6 7 8 9 10

serment (*m.*) oath
sève (*f.*) sap
siècle (*m.*) century
siège social (*m.*) headquarters
smoking (*m.*) tuxedo
société (*f.*) company, firm
soirée (*f.*) evening
sol (*m.*) soil
solitaire solitary
sombre dark
sombrer to crash, shipwreck
son (*m.*) sound
sondage (*m.*) poll
sorcellerie (*f.*) witchcraft
sorcier, sorcière (*m., f.*) witch, wizard, sorcerer
sort (*m.*) fate
sorte (faire en —) to act in such a way
souci (*m.*) care, worry
souffle (*m.*) breath
souffrance (*f.*) suffering
soufre (*m.*) sulphur
souhait (*m.*) wish
souhaiter to wish, want
soumettre (soumis) to submit, present (submitted, presented)
sous-sol (*m.*) subsoil
soutenir to support
souterrain, e underground
soutien (*m.*) support
sportif (*m.*) sports fan
station (*f.*) resort
station balnéaire (*f.*) beach resort
statut (*m.*) statute
subir to suffer (*a defeat*)
subvention (*f.*) grant, financial aid
sucre (*m.*) sugar; (**les sucres** = sugaring party)
sucre (cabane à —) shack where sugaring parties are held (*in French Canada*)
sucré, e sweet, sugared
suivante (la —) as follows
superficie (*f.*) area
surgir to rise, loom up
surnaturel supernatural
surprenant, e surprising, unexpected
survol (*m.*) overview
susciter to excite, bring about, give rise

T

tableau (*m.*) chart
tache (*f.*) spot
taille (*f.*) size

tailler (se) to carve out, make
tambour (*m.*) drum
tambouriner to drum
tapis (*m.*) rug, carpet
tarif (*m.*) rate, price
tarte (*f.*) pie
taureau (*m.*) bull
taux de change (*m.*) rate of exchange
télégraphie sans fil (*f.*) telegraph
tellement so, so much so
témoigner to bear witness
temps (à — partiel) part-time
tendre (tendu) to reach out, cover (covered)
tenir tête à to stand off
tentative (*f.*) attempt
tenter to tempt
terrain (*m.*) lot
Terre-Neuve Newfoundland
terroir (*m.*) soil
tertiaire relating to services, offices
thermes (*m., pl.*) public baths (*Roman*)
thon (*m.*) tuna
tiers (*m.*) third
tirage (*m.*) circulation
tire (*f.*) taffy
tirer to shoot, pull, draw, derive, circulate
tisserand (*m.*) weaver
tissu (*m.*) material
toile (*f.*) painting, canvas
Toison d'or (*f.*) Golden Fleece
toit (*m.*) roof
tomber to fall
tomber en panne to break down
totémique from totem (*links animal and man*)
tour (*f.*) skyscraper, tower
Tourangeau (*m.*) inhabitant of Tours
tourbillon (*m.*) whirlwind
tournée (*f.*) circuit, round
tournoi (*m.*) tournament
tourtière (*f.*) meat pie (*French Canadian*)
toutefois nevertheless
traduire (se) to be expressed
traite (*f.*) trade
traitement (*m.*) salary, income
trajet (*m.*) itinerary
tranche (*f.*) slice
trancher to slice
transatlantique (*m.*) ocean liner
traqué, e tracked, followed
traversée (*f.*) crossing
tremper to dip
trésor (*m.*) treasury

tressé, e braided
tribu (*f.*) tribe
tribunal (traduire devant le —) (*m.*) to take to court
tristesse (*f.*) sadness
troisième âge (*m.*) over 65, senior citizen
tromper (se) to make a mistake, be in error
trou (*m.*) hole
tuer to kill
tuile (*f.*) tile
turc, turque Turkish
tuyau (*m.*) pipe

U

unir to join together, link
usager (*m.*) user
usine (*f.*) factory

V

vacancier (*m.*) vacationer
vache (*f.*) cow
vaincre (vaincu) to defeat (defeated)
vainqueur (*m.*) winner, victor
valoir (faire —) to point out, argue
valoriser to value
vannier (*m.*) basket maker
vapeur (*f.*) steam
vedette (*f.*) star
veiller to watch, be on the lookout
vélocité (*f.*) speed
velours (*m.*) velvet
vendange (*f.*) grape harvest
venger (se) to seek revenge, avenge
vente (*f.*) sale
verdure (*f.*) greenery
verre (*m.*) glass
verrerie (*f.*) glassmaker, glass factory
veuf, veuve (*m., f.*) widower, widow
victoire (*f.*) victory
vide empty
vieillissement (*m.*) aging
vieux, vieille (*m., f.*) old man, old woman
vif (sur le —) live, in person
vif, vive bright
vigne (*f.*) vine
vignoble (*m.*) vineyard
villageois (*m.*) villager
vinicole wine-growing